SAMANTHA,
DANS
TOUS SES ÉTATS

Meg Cabot

SAMANTHA,
DANS TOUS SES ÉTATS

Traduit de l'anglais (États-Unis)
par Josette Chicheportiche

hachette

Je remercie Beth Ader, Jennifer Brown, Michel Jaffe, Laura Langlie, Abigail McAden et surtout Benjamin Egnatz.

L'édition originale de cet ouvrage
a paru en langue anglaise (États-Unis)
HarperCollins, New York,
sous le titre :
Ready or not

Hachette Livre, 43 quai de Grenelle 75015 Paris.

À Laura Langlie, merveilleux agent
et amie encore plus merveilleuse

Ne doutez jamais qu'un petit groupe d'individus conscients et engagés puisse changer le monde. C'est même la seule chose qui se soit jamais produite.

Margaret Mead, anthropologue.

Lorsque tu t'es ridiculisée une bonne centaine de fois, tu apprends ce qui marche ou pas.

Gwen Stefani.

Les dix raisons qui font que je ne supporte pas d'être qui je suis, à savoir Samantha Madison :

10. Bien que j'aie sauvé la vie du président des États-Unis, que j'aie reçu une médaille pour mon acte d'héroïsme et qu'on ait tourné un film sur ma vie, on me traite toujours comme une bête curieuse au lycée, lequel est quand même censé être une institution progressiste de grande réputation. Personnellement, je trouve qu'il n'est fréquenté – à l'exception de ma meilleure amie Catherine et de moi-même –, que d'aficionados de la mode, de partisans de la tolérance zéro à l'égard de quiconque professe une opinion originale, et de néofascistes qui reprennent en chœur l'hymne de l'école et se passionnent pour les émissions de télé-réalité.

9. Ma grande sœur – celle qui a apparemment hérité de la bonne séquence d'ADN, comme le gène des cheveux blond vénitien, lisses et soyeux plutôt que celui des cheveux roux et crépus – jouit de la plus GRANDE cote de popularité à Adams Prep, ce qui fait que tous les jours, en gros, j'ai droit à la même question de la part de mes pairs, de mes profs et même de nos parents, quand ils constatent une fois de plus que je déprime, seule dans mon coin, au milieu de l'entrain général :
« Pourquoi ne ressembles-tu pas plus à ta sœur Lucy ? »

8. Même si mon soi-disant acte de bravoure – lorsque j'ai sauvé la vie du président – m'a valu d'être nommée ambassadrice des Nations unies pour la jeunesse, je suis rarement dispensée de cours pour autant. Et je tiens à préciser que je ne suis même pas payée pour remplir mes fonctions.

7. Résultat, j'ai dû me trouver un job en plus de mon travail strictement bénévole d'ambassadrice, pour pouvoir payer mes achats chez Sullivan Art, où je me fournis en carnets de croquis et crayons, vu que mes parents ont décidé qu'il

était temps que j'apprenne la valeur de l'argent et que j'acquière une « éthique du travail ».
À l'inverse de ma sœur Lucy, qui doit elle aussi gagner son argent de poche pour payer ses tubes – de crème, pas de peinture –, je ne me suis pas dégoté un emploi dans une boutique de lingerie qui me fait trente pour cent de réduction et me paie dix dollars de l'heure pour m'asseoir derrière la caisse et lire des magazines en attendant qu'une cliente condescende à m'interroger sur les slips brésiliens et les strings.
Non, moi, je travaille chez Potomac Video et je suis payée au Smic pour rembobiner des navets avec Brittany Murphy et les ranger ensuite sur les étagères pour les prochains clients. Autrement dit, je suis coincée dans le monde tordu et malade de Brittany Murphy et de ses Regarde-comme-j'ai-maigri-depuis-que-j'ai-tourné-*Clueless*-et-qu'Ashton-m'a-larguée-pour-cette-vieille-peau-de-Demi-mais-j'en-ai-rien-à-faire-parce-que-je-suis-devenue-plus-célèbre-que-lui.
D'accord, grâce à ce job, j'ai rencontré des marginaux hyper cool qui ont arrêté leurs études depuis belle lurette, comme Dauntra, ma nouvelle copine aux multiples piercings.
Mais ce n'est pas une raison.

6. Entre le lycée, mes cours de dessin, mes fonctions d'ambassadrice et mon job, il ne me reste qu'une soirée par semaine, le samedi, pour sortir avec mon petit ami.

5. Comme l'emploi du temps de mon petit ami est aussi chargé que le mien, sans parler du fait qu'il doit préparer son entrée à l'université, qu'il est le fils du président des États-Unis et qu'en tant que tel, est souvent tenu d'assister à des cérémonies officielles le seul soir où je peux sortir avec lui, soit je l'accompagne à ces réceptions qui n'ont franchement rien de très palpitant, soit je passe la soirée devant *National Geographic Explorer* avec ma petite sœur Rebecca.

4. Je suis la seule fille sur Terre de presque dix-sept ans à avoir vu tous les épisodes de *National Geographic Explorer*. Par ailleurs, ce n'est pas parce que ma mère est avocate, spécialisée dans l'environnement, que je suis inquiète à l'idée que la calotte polaire se retire. Je préférerais voir mon petit ami plus souvent.

3. Ce n'est pas parce que j'ai sauvé la vie du président des États-Unis que j'ai rencontré pour autant mon idole, Gwen Stefani (mais c'est vrai qu'elle m'a envoyé un blouson en jean de sa

marque, L.A.M.B., quand elle a appris que j'étais sa fan n°1. En même temps, la première fois que je l'ai porté au lycée, j'ai été l'objet de remarques caustiques de la part de mes camarades, du genre « T'es punk ? » et « Tu te prépares pour un pogo ? », ce qui m'a fait comprendre que l'avant-garde en mode n'était pas encore quelque chose que les gens de ma génération pouvaient apprécier).

2. Bien que toutes les personnes qui me connaissent SAVENT tout ça, elles PERSISTENT à penser que ma vie est merveilleuse et que je devrais être un peu plus reconnaissante pour toutes ces choses que j'ai, comme un petit ami que je ne vois jamais ou des parents qui m'envoient dans une école formidable où tout le monde me déteste. Oh, j'oublie ma grande amitié avec le président, lequel est incapable de se rappeler mon nom. Dire que je me suis cassé le bras en lui sauvant la vie !

Mais la raison principale qui fait que je ne supporte pas d'être moi-même, c'est :

1. Qu'il est peu probable que les choses s'améliorent dans les mois à venir, à moins que je change quelque chose à ma vie.

1

Ce qui explique peut-être pourquoi j'ai fini par trouver le courage de le faire.

Changer quelque chose dans ma vie, je veux dire. Et changer VRAIMENT.

Que Lucy n'apprécie pas, je m'en fiche.

En même temps, elle n'a pas dit qu'elle n'aimait pas. Non que je me soucie de son avis. Je ne l'ai pas fait pour elle, je l'ai fait pour moi.

C'est d'ailleurs ce que je lui ai répondu quand elle m'a dit ce qu'elle m'a dit, à savoir :

— Maman va te tuer.

— Je ne l'ai pas fait pour maman. Je l'ai fait pour moi et pour personne d'autre.

Je ne savais même pas qu'elle était à la maison. Je parle de Lucy. Je pensais qu'elle était à son entraînement de pompom girl. Ou à un match. Ou encore à lécher les vitrines avec ses copines, son occupation favorite quand elle ne *travaille* pas à la galerie marchande. Cela dit, qu'elle y travaille ou pas, ça revient au même, vu que ses amies sont tout le temps fourrées chez Mes Dessous Préférés (la boutique de lingerie qui paie Lucy à se tourner les pouces).

— Peut-être, mais toi, tu n'es pas obligée de te regarder, a fait observer Lucy.

Elle était assise à son bureau. Je suis sûre qu'elle envoyait un mail à Jack, son petit copain. Lucy lui envoie un mail tous les matins avant d'aller en cours, et tous les soirs avant de se coucher, et parfois, comme maintenant, en fin de journée, sinon, il craque. Jack est à l'université, plus exactement dans une école de design du Rhode Island, et depuis son départ, il angoisse à l'idée que Lucy ne l'aime plus. Il a constamment besoin de savoir qu'elle tient toujours à lui et ne sort pas avec un type qu'elle aurait rencontré chez Sunglass Hut, par exemple.

Ce qui est assez surprenant parce que, avant de partir pour le Rhode Island, il ne m'avait jamais donné l'impression d'être du genre anxieux. Mais j'imagine que l'université change les gens.

J'espère qu'il ne changera pas trop, MON petit ami. Il entre à l'université l'année prochaine. Au moins, Jack revient tous les week-ends pour voir Lucy, ce qui est plutôt sympa de sa part. C'est vrai, quoi. Il pourrait rester là-bas et sortir avec ses copains de fac. J'espère que David fera pareil.

En même temps, il est possible que Jack n'en ait pas. De copains de fac, je veux dire.

— Je me regarde tout le temps dans le miroir, ai-je rétorqué à Lucy quand elle m'a dit que je n'étais pas obligée de me regarder. Et puis, personne ne t'a demandé ton avis.

Sur ces paroles, je suis allée dans ma chambre, là où j'avais l'intention de me rendre quand Lucy m'avait vue passer et m'avait appelée.

— Au fait, a-t-elle lancé quand elle m'a vue repasser un peu plus tard, au cas où tu ne le saurais pas, tu ne lui ressembles pas.

J'ai fait demi-tour et j'ai demandé :

— À qui ?

Je ne voyais pas, mais alors pas du tout de qui elle parlait. Bon d'accord, j'aurais dû avoir ma petite idée. Après tout, il s'agissait de Lucy. *Lucy*, ma sœur.

— Tu sais bien, a-t-elle fait, après avoir bu une gorgée de son Coca light. Ton idole. Comment elle s'appelle déjà ? Gwen Stefani. Elle est blonde, non ? Pas brune.

Je n'en revenais pas que Lucy me demande à MOI de quelle couleur étaient les cheveux de Gwen Stefani. Je suis quand même sa fan n°1.

— Oui, effectivement, ai-je répondu avant de repartir.

Mais la remarque suivante de Lucy m'a fait aussitôt revenir sur mes pas.

— En revanche, tu ressembles à cette fille. Rappelle-moi son nom.

— Karen O ? ai-je proposé, pleine d'espoir.

Ne me demandez pas pourquoi j'ai pensé que Lucy allait me dire quelque chose de gentil, comme par exemple que je ressemblais à la chanteuse des Yeah Yeah Yeahs. À mon avis, j'avais dû inhaler trop d'ammoniaque en me teignant les cheveux.

— Non, non, pas elle, a dit Lucy puis, avec un claquement de doigts, elle s'est écriée : Ashlee Simpson !

J'ai encaissé le coup. Il y a pire dans la vie que ressembler à Ashlee Simpson – qui est plutôt jolie –, mais que des gens puissent penser que je cherchais à la *copier* m'a tellement révulsée que j'en ai eu la nausée. Je ne voyais pas ce qu'il pouvait y avoir de plus détestable sur terre. Heureusement pour Lucy, je n'avais aucun objet tranchant sous la main à ce moment-là, ou, je vous jure, je l'aurais poignardée.

— Je ne ressemble *pas* à Ashlee Simpson, ai-je articulé avec difficulté.

Lucy a haussé les épaules et est retournée à son écran sans l'ombre d'un remords, comme à son habitude.

— Si tu le dis, a-t-elle répondu. Je suis sûre que le père de David va adorer. Tu ne dois pas passer sur

VH1 la semaine prochaine pour faire la promotion de son stupide Retour des valeurs familiales ?

— Ce n'est pas VH1 mais MTV, ai-je corrigé en me sentant encore plus mal car je venais de me rappeler que je n'avais toujours pas lu la doc que M. White, le porte-parole de la Maison Blanche, m'avait donnée pour que je prépare mon intervention. Comment allais-je faire ? Entre mes devoirs, mes cours de dessin et mon boulot chez Potomac Video, qu'est-ce qui me restait comme temps pour remplir mes fonctions d'ambassadrice, hein ?

Sans compter qu'une fille a certaines priorités. En ce qui me concerne, se teindre les cheveux.

Histoire de ressembler à un clone d'Ashlee Simpson, du moins à ce qu'il paraît.

— Tu sais très bien d'ailleurs que c'est MTV ! ai-je hurlé à l'adresse de ma sœur, car je n'avais toujours pas digéré qu'elle me compare à Ashlee Simpson. Et aussi parce que je m'en voulais de ne pas avoir encore réfléchi à ce que j'allais dire devant les caméras. Mais puisque j'en avais la possibilité, autant passer mes nerfs sur Lucy que sur moi-même.

— Et que ça soit à Adams Prep ! ai-je repris. Comme si tu n'avais pas l'intention de profiter de l'occasion pour étrenner le nouveau jean rose que tu as acheté chez Betsey Johnson !

— Je ne vois pas du tout de quoi tu parles, a fait Lucy d'un air innocent.

— À d'autres !

Quel toupet de faire comme si elle n'était pas au courant ! On ne parlait que de ça au bahut. De la venue de MTV, et surtout de la présence, non pas du président, mais du très sexy Random Alvarez, le présentateur-télé.

Et il n'y avait pas que Lucy et ses copines qui étaient super excitées. Kris Park aussi était dans tous ses états. Kris me déteste, mais depuis que je suis devenue une héroïne nationale, elle s'escrime à cacher ses sentiments à mon égard. Je le sens bien, pourtant, qu'elle ne peut pas me supporter. Je le sens, rien qu'à sa façon de me dire « *Salut, Sam, ça va ?* » Bref, Kris, qui paniquait depuis qu'elle s'était rendu compte que son dossier d'inscription à l'université n'était pas très riche en activités extrascolaires (elle n'est QUE membre des pompom girls), avait fondé un nouveau club, le Droit Chemin, censé redonner aux jeunes le droit de dire non à la drogue, à l'alcool et au sexe.

Personnellement, je ne savais pas que ce droit était menacé. En tout cas, je ne connais personne qui se soit emporté contre quelqu'un sous prétexte qu'il avait dit : « Non merci, je ne bois pas de bière. » Bon d'accord, peut-être que certains garçons s'en prennent à leurs petites copines quand elles refusent de le faire.

En parlant de ça, j'ai remarqué que chaque fois

qu'on raconte qu'une fille est... est allée jusqu'au bout avec son petit copain, Kris Park et ses acolytes du Droit Chemin sont toujours les premières à la traiter de nympho, et en général devant tout le monde.

Quoi qu'il en soit, à cause du Droit Chemin, Kris faisait partie des élèves invités sur le plateau quand le président ferait son allocution devant tout Adams Prep réuni. Depuis qu'elle l'avait appris, elle nous rebattait les oreilles sur la chance que cela représentait pour elle. Kris espère en effet se faire remarquer par les meilleures universités du pays. Elle nous bassinait aussi avec Random Alvarez, à qui elle avait l'intention de donner son numéro de téléphone et avec qui elle rêvait de sortir.

Ben voyons. Comme si Random allait sortir avec Kris Park alors qu'il sort déjà avec Paris Hilton. Cela dit, je ne suis pas sûre que « sortir » soit le terme approprié. Mais bon, passons.

— Sache pour ta gouverne que c'est justement pour cette raison que je me suis teint les cheveux, ai-je signalé à ma sœur. Il me fallait un nouveau look pour l'allocution du président. Quelque chose qui fasse moins... fille-qui-a-sauvé-la-vie-du-président.

— Eh bien, tu as réussi, a répondu Lucy. Mais ça ne change rien au fait que maman va te tuer.

Là-dessus, elle a répondu à Jack qui s'impatientait apparemment devant son ordinateur vu qu'il lui avait envoyé deux messages qu'elle avait ignorés pendant notre petit échange. Je suis retournée dans ma chambre. Jack devait être fou de rage que Lucy ne lui accorde pas plus d'attention. À tous les coups, il devait même penser qu'elle était occupée avec son AUTRE petit copain (son petit copain imaginaire, celui de Sunglass Hut).

Je me fiche de ce que pense Lucy, voilà ce que je me suis dit. Qu'est-ce qu'elle connaît de la mode ? Oh, bien sûr, elle lit *Vogue* tous les mois, et de A à Z.

Mais je n'ai pas l'intention de ressembler aux filles qu'on voit dans *Vogue*. À l'inverse de Lucy, je ne suis pas une *fashion victim*. Je veux me trouver un style qui me soit propre et qui ne me soit pas dicté par un magazine de mode.

Ou par Ashlee Simpson.

Cela dit, quand je suis descendue et que Theresa, notre nounou, m'a vue, j'avoue que sa réaction m'a déstabilisée.

— Doux Jésus ! Qu'as-tu fait à tes cheveux ?

— Tu n'aimes pas ?

Theresa a secoué la tête en invoquant une fois de plus le fils de Dieu. Franchement, je ne vois pas ce qu'Il aurait pu faire.

Rebecca, ma petite sœur, a levé les yeux de son livre – elle n'est pas à Adams Prep, comme Lucy et moi. Rebecca va à Horizon, là où est David, mon petit ami. C'est une école pour surdoués où il n'y a ni pom-pom girls ni bal de fin d'année. Les élèves ne sont même pas notés mais ils doivent en revanche porter un uniforme afin de ne pas pouvoir se moquer du style vestimentaire des uns et des autres. Qu'est-ce que j'aimerais être à Horizon ! Sauf qu'il faut avoir un QI exceptionnel pour y être accepté, et si d'après Mme Flynn, la conseillère d'éducation, je suis « au-dessus de la moyenne », je ne suis pas non plus un génie.

— Moi, je trouve que ça te va, a déclaré Rebecca.

— C'est vrai ?

J'ai failli l'embrasser mais me suis arrêtée brusquement dans mon élan quand elle a ajouté :

— Oui. Tu me fais penser à Jeanne d'Arc. Bien qu'on ne sache pas à quoi elle ressemblait, puisque le seul portrait que l'on connaisse d'elle a été griffonné dans la marge des minutes de son procès au terme duquel elle a été condamnée au bûcher pour sorcellerie. Mais tu y fais quand même un peu penser. Au gribouillis, évidemment.

Même si je préférais ça que m'entendre dire que je ressemblais à Ashlee Simpson, ce n'était pas non plus très agréable d'être comparée à un gribouillis. Même un gribouillis représentant Jeanne d'Arc.

— Tes parents vont te tuer, a déclaré Theresa.

— Ils s'habitueront, ai-je affirmé en essayant de m'en convaincre moi-même.

— C'est une coloration permanente ? a demandé Theresa.

— Semi-permanente.

— Doux Jésus, a répété Theresa.

Puis, remarquant que j'avais mon blouson sur le dos, elle a ajouté :

— Où vas-tu ?

— À mon cours de dessin.

— Je croyais que c'était le lundi et le mercredi. On est mardi, aujourd'hui.

Impossible de déjouer Theresa sur quoi que ce soit. Croyez-moi. J'ai déjà essayé.

— C'était comme ça jusqu'à présent, mais maintenant, je suis inscrite à un nouveau cours. Pour adultes, ai-je répondu.

Susan Boone dirige un atelier de dessin où David et moi, on prend des cours. Parfois, c'est le seul moment où on arrive à se voir tellement on est super occupés tous les deux.

Attention. Je ne dis pas que je me suis inscrite aux cours de Susan Boone uniquement pour voir David. Non, mon but est de me perfectionner dans mon art.

Mais c'est vrai qu'on en profite pour se faire des petits bisous dans la cage d'escalier après le cours.

— Susan pense qu'on est prêts, David et moi, ai-je expliqué à Theresa.

— Prêts à quoi ?

— À suivre ce cours. C'est un cours spécial.

— Qu'est-ce qu'il a de spécial ?

— On dessine d'après modèle vivant.

Je suis habituée aux interrogatoires de Theresa. Elle travaille pour nous depuis un milliard d'années et est un peu notre seconde maman. En fait, non, elle est notre *première* maman dans la mesure où l'on voit rarement notre vraie mère à cause de sa carrière d'avocate spécialisée dans l'environnement. Theresa a eu un paquet d'enfants, qui sont tous adultes aujourd'hui, et elle a même quelques petits-enfants. Du coup, on peut considérer qu'elle a tout vu.

Sauf les ateliers d'après modèle vivant apparemment, car elle m'a demandé :

— C'est quoi ?

— Tu sais bien, ai-je commencé sur un ton faussement assuré parce que, au fond, je ne l'étais pas vraiment. Assurée. Contrairement aux natures mortes, pour lesquelles on dessine des fruits et toutes sortes d'objets, là, on dessine des êtres vivants... comme des êtres humains.

Je dois admettre que j'étais assez excitée à la perspective de dessiner autre chose que des cornes de vache ou des grappes de raisin. Vous pensez qu'il n'y a que les barjos pour être excités par ce genre de choses ? Dans ce cas, je suis une barjo. Et avec ma nouvelle couleur de cheveux, une barjo gothique.

Il faut dire aussi que Susan Boone avait fait toute une histoire de notre passage, à David et à moi, dans ce cours. Nous serions, nous avait-elle prévenus, les plus jeunes.

— Mais je crois que vous êtes suffisamment mûrs l'un et l'autre, avait-elle ajouté.

Un peu que je *suis* mûre ! J'ai presque dix-sept ans. Qu'est-ce que croyait Susan Boone ? Que j'allais bombarder le modèle avec des noyaux de cerise ?

— Je ne savais pas que je devais te conduire en ville, a repris Theresa, visiblement ennuyée. Je dois emmener Rebecca au karaté et...

— Qigong, l'a corrigée Rebecca.

— Si tu veux. Comment je vais faire ? L'atelier de Susan Boone est à l'opposé !

— Ne t'en fais pas ! ai-je dit. Je vais prendre le métro.

Theresa m'a dévisagée d'un air choqué.

— Tu ne peux pas. Tu te souviens de ce qui est arrivé la dernière fois.

Merci de me le rappeler. La dernière fois que j'avais voulu prendre le métro, j'étais tombée sur une réunion de famille – je ne plaisante pas, tous les membres portaient un tee-shirt sur lequel on pouvait lire *Attention : Famille Johnson en vacances* – qui, après m'avoir reconnue, avait fondu sur moi et m'avait demandé si je pouvais leur signer des autographes sur leurs tee-shirts. Ils avaient provoqué un tel cirque que la police du métro avait dû intervenir avant de me prier gentiment de ne plus prendre le métro.

— Sauf que la dernière fois, j'avais les cheveux

roux. Du coup, les gens me reconnaissaient, ai-je expliqué à Theresa. Tandis que maintenant, ai-je ajouté en entortillant une mèche autour de mon index, je peux voyager incognito.

Theresa ne paraissait pas très convaincue.

— Mais tes parents...

— ... veulent que j'adopte une attitude responsable vis-à-vis du travail, ai-je déclaré. N'y a-t-il pas meilleur moyen de le faire que prendre le métro comme le reste des plébéiens ?

Je suis sûre que Rebecca avait été impressionnée de m'entendre employer le terme de « plébéien ». Je l'avais piqué dans les annales de Lucy. Elle est censée passer son examen de fin d'études secondaires cette année. Si vous voulez mon avis, elle ne le prépare pas vraiment. En tout cas, elle ne doit pas ouvrir ses annales très souvent. La preuve, quand je l'avais traitée de *succube* (définition donnée par les annales : démon femelle qui vient la nuit s'unir à un homme), elle l'avait pris pour un compliment.

Ça n'a pas été facile de convaincre Theresa. Quand les gens vont-ils s'apercevoir que je suis quasiment une adulte, du moins que je suis suffisamment grande pour me débrouiller toute seule ? Non, pour eux, je suis mûre pour suivre un cours de dessin d'après modèle vivant – sans parler de travailler à mi-temps chez Potomac Video –, mais je ne le suis pas pour prendre le métro.

N'importe quoi. Dans un autre État, j'aurais ma propre voiture. C'est bien ma veine qu'on vive à Washington, D.C. où il est presque plus difficile d'obtenir le permis de conduire que celui de port d'arme.

Finalement, Theresa m'a laissée partir... mais seulement parce qu'elle n'avait pas le choix. Avec papa qui quitte super tard son bureau de la Banque mondiale et maman qui est complètement accaparée par sa dernière affaire, elle ne peut pas vraiment compter sur eux. C'est à peine s'ils rentrent à l'heure pour dîner avec nous.

Je n'étais pas mécontente de sortir de la maison et de sentir l'air vif de novembre sur ma peau, et j'étais ravie que mes fonctions d'ambassadrice aient obligé la Maison Blanche à m'équiper d'un téléphone portable. Ça sert au moins à ça, d'être une héroïne nationale. On a le téléphone gratuit. Lucy, en revanche, doit payer son forfait tous les mois (mais elle ne paie pas les appels vers papa ou maman, quand elle veut savoir, par exemple, si elle peut rentrer un peu plus tard).

J'ai appelé Catherine en priant pour que ce soit elle qui décroche et non ses parents ou ses frères. Catherine n'a pas de portable, du coup je suis obligée de l'appeler sur le téléphone de la maison.

— Allô ? a-t-elle dit.

Super, c'était Catherine.

— C'est moi. Je l'ai fait.

— C'est comment ?

— Pas mal, je crois. Rebecca trouve que je ressemble à Jeanne d'Arc.

— Comme c'est mignon ! Mais avant qu'elle ne soit brûlée sur le bûcher, n'est-ce pas ? Et Lucy ? Qu'est-ce qu'elle a dit ?

— Que je ressemblais à Ashlee Simpson.

— Génial ! s'est exclamée Catherine.

Catherine est ma meilleure amie, je l'adore, mais parfois, elle dit des trucs comme ça, et j'ai peur pour elle. Je parle sérieusement. À votre avis, qu'est-ce qui va lui arriver quand elle se retrouvera confrontée à la réalité ? Les gens n'en feront qu'une bouchée.

— Catherine, ai-je repris, je ne veux pas qu'on pense que j'ai cherché à copier Ashlee Simpson. Ce ne serait pas très cool.

— Oh, a fait Catherine. Oui, oui, bien sûr. Excuse-moi.

Après avoir apparemment réfléchi pendant quelques secondes à ma remarque, elle a ajouté :

— Et qu'est-ce qu'elle a dit d'autre, Lucy ?

— Que notre mère allait me tuer.

— Oh...

— Je m'en fiche, ai-je répondu tout en descendant la rue jonchée de feuilles mortes.

On habite dans Cleveland Park, un quartier de Washington, D.C., qui ne se trouve pas très loin en fait du 1600 Pennsylvania Avenue, autrement dit la Maison Blanche, où habite mon petit ami. La plupart des élèves d'Adams Prep habitent dans le coin, ou bien dans Chevy Chase, là où vivait Jack, le petit copain de Lucy, avant de partir à l'université.

— C'est ma tête, ai-je continué, et j'estime que j'ai le droit d'en faire ce que je veux.

— Tu as raison, m'a assuré Catherine. Tu es en chemin pour ton cours de dessin ?

— Hum, hum. J'y vais en métro.

— Bonne chance, dans ce cas. Mais méfie-toi des Johnson, ils sont peut-être de nouveau en vacances. Tu me raconteras ce que dira David pour tes cheveux, promis ?

— Reçu 5 sur 5 ! ai-je lancé, parce que c'était comme ça qu'on se quittait, Catherine et moi, quand on s'amusait, plus jeunes, avec nos talkies-walkies.

En fait, les téléphones portables, c'est un peu comme des talkies-walkies. Ça coûte juste plus cher. Ce qui est triste, c'est que les parents de Catherine ne veulent pas qu'elle en ait un. Ils ne la laissent même pas téléphoner à des garçons, et encore moins sortir avec des garçons, sauf en groupe, ce qui n'arrangeait pas trop ses affaires... à l'époque où elle avait un petit copain. Pauvre Catherine. Paul, son amoureux, a dû suivre son père au Qatar. Il est diplomate. Résultat, Catherine et lui communiquent par mails, comme Lucy et Jack. Mais vu que le Qatar est bien plus loin que le Rhode Island, il ne peut pas revenir le week-end.

En plus de lui refuser un portable, les parents de Catherine lui ont interdit de prendre le métro. Cela dit, je ne suis pas sûre que les miens apprécieraient. Que je prenne le métro. Ils n'auraient pas peur que je me perde ou que je me fasse enlever puis qu'on me vende à un réseau de traite des Blanches (ce qui arrive bien plus souvent dans les galeries marchandes du Midwest que dans le métro. Je le sais parce que, Rebecca et moi, on a vu un reportage de *National Geographic Explorer* sur ce sujet). Non, mes parents auraient peur que je tombe de nouveau nez à nez avec les Johnson.

Mais ils n'ont pas suffisamment peur pour m'interdire d'aller travailler chez Potomac Video.

Cela dit, grâce à ma nouvelle couleur de cheveux, personne ne m'a reconnue. Je suis allée jusqu'à R Street et Connecticut – juste en face de l'église de scientologie –, là où se trouve l'atelier de Susan Boone, sans entendre une seule fois : « Hé ! Vous ne seriez pas Samantha Madison ? » ou « On n'a pas tourné un film sur vous l'été dernier ? »

J'étais tellement contente de passer inaperçue que je ne me suis même pas arrêtée chez Static, le magasin de disques qui jouxte l'immeuble de Susan Boone. Bon d'accord, j'ai ralenti pour admirer mon reflet dans la vitrine. Quel bonheur d'être différente !

Parce que, en ce qui me concerne, être différente, ça ne peut être que mieux.

En même temps, quand David est arrivé, j'avoue que je faisais moins la fière. Il est passé devant moi sans me regarder, comme s'il cherchait quelqu'un d'autre... puis, il a fait demi-tour quand il s'est rendu compte que la fille assise sur le siège devant lui n'était autre que moi.

Mais impossible de savoir à l'expression de son visage s'il aimait ou pas la nouvelle couleur de mes cheveux. Il souriait, c'est vrai, mais ça ne signifie rien. David sourit très souvent – il n'a pas du tout le genre maussade, comme Jack, bien qu'il ait autant de talent que lui, si ce n'est plus. Enfin, c'est ce que je pense.

Et je pense aussi que David est bien plus mignon que Jack avec ses yeux verts – oui, oui, j'ai bien dit *verts* – et ses cheveux noirs bouclés.

Attention, je ne suis pas en train de comparer nos petits copains respectifs, à Lucy et à moi. Il se trouve juste que David est super mignon. Ça fait plus d'un an qu'on sort ensemble. Eh bien, mon cœur continue de faire des bonds quand je le vois. D'après Rebecca, c'est l'expression de ce qu'on appelle « le frisson ».

Personnellement, je me fiche pas mal de savoir comment ce que je ressens pour David s'appelle ou ce qui le provoque. Tout ce que je sais, c'est que je l'aime. Il faut dire qu'il est tellement... *présent.* Quand il entre dans une pièce, il ne se contente pas d'être là, non, il *remplit* la pièce de sa présence. C'est peut-être parce qu'il est très grand et très musclé. Par exemple, lorsqu'il m'embrasse, il doit se pencher pour atteindre ma bouche, et souvent, il me prend le visage entre les mains.

Je trouve ça super sexy.

Mais pas autant que lorsqu'il me regarde comme il le faisait à ce moment-là.

Vu que nos parents, en plus de vouloir nous inculquer une « attitude responsable vis-à-vis du travail », ont également décidé qu'on devait devenir autonomes (ce qui signifie qu'on doit désormais s'occuper de notre linge au lieu de laisser Theresa s'en charger) –, le seul tee-shirt que j'avais trouvé ce matin en m'habillant, puisque j'avais oublié de faire ma lessive, était un petit top noir que m'avait envoyé gracieusement Nike dans l'espoir de me voir le porter à mon prochain passage à la télé.

Ce qui est un autre avantage d'être une héroïne nationale. On reçoit des vêtements gratuits.

Sauf que, même si j'adore ce que fait Nike, j'évite dans la mesure du possible de servir de support à toute forme de publicité flagrante. Conclusion : je n'avais jamais porté ce tee-shirt jusqu'à présent. Ce qui explique sans doute pourquoi, avant que je voie l'expression de David, je ne m'étais pas rendu compte à quel point il était sexy. Le tee-shirt. Je n'ai pas une grosse poitrine, disons qu'elle est de taille normale, et j'imagine que ce tee-shirt devait particulièrement mouler les seins, sans compter le col en V, car quand David a fini par me reconnaître, ce n'est pas sur mes cheveux que son regard s'est posé, mais sur ma poitrine. Et quand il s'est assis à côté de moi, tout ce qu'il m'a dit, c'est :

— Salut.

— Salut, ai-je répondu.

— J'aime bien ton tee-shirt, a-t-il ajouté.

— Oui, j'ai cru comprendre.

— Tu devrais t'habiller plus souvent comme ça.

— J'essaierai de ne pas oublier mais... pourrais-tu lever un peu les yeux, s'il te plaît, et me dire ce que tu penses de mes cheveux ?

Sans bouger le moins du monde, David a dit :

— Super.

— David ! Tu n'as même pas regardé.

Il a alors détaché ses yeux de ma poitrine et a considéré mes cheveux... avant de froncer les sourcils.

— C'est noir.

J'ai hoché la tête.

— Exact. Tu n'as pas d'autre commentaire ? Par exemple, si tu aimes ?

— C'est... c'est *très* noir.

— Oui. Ça s'appelle même noir d'ébène. Mais dis-moi, tu aimes ou pas ?

— Au moins, plus personne ne te surnommera Sam la Rousse.

— Effectivement. Alors, ça me va ?

— Eh bien, je trouve que c'est...

Il a baissé à nouveau les yeux sur ma poitrine et a ajouté :

— Super.

Je me demande si Nike a conscience du pouvoir qu'exercent ses tee-shirts sur les garçons. En tout cas, sur le garçon avec qui je sors. Ça m'apprendra à vouloir avoir une réponse honnête de la part de David ! Bref, j'allais devoir attendre...

— Mon Dieu ! Qu'as-tu fait à tes cheveux ? s'est exclamée Susan Boone.

— Je les ai teints, ai-je répondu en entortillant une mèche autour de mon index.

Et elle, elle aimait ou pas ? Elle avait la même tête que Theresa et Lucy... c'est-à-dire abasourdie.

— Vous ne trouvez pas ça joli ?

Susan s'est mordu la langue.

— Est-ce que tu sais, Sam, que des milliers de femmes donneraient n'importe quoi pour avoir des cheveux de la même couleur que les tiens... avant que tu ne les teignes. J'espère que ce n'est pas une couleur permanente.

— Semi, ai-je répondu tout en constatant que les autres élèves étaient arrivés entre-temps.

À l'exception de Rob, le garde du corps de David – en tant que fils du président des États-Unis, David n'a pas le droit de se déplacer sans être escorté par un agent des services secrets –, je n'en connaissais aucun.

Cela dit, ce n'est pas parce que je ne les connaissais pas qu'ils n'écoutaient pas notre conversation.

Bien sûr, ils étaient discrets, mais ils nous écoutaient bel et bien.

— J'avais besoin de changer, ai-je expliqué à Susan, dans une tentative pour défendre ma – mauvaise, apparemment – décision.

— C'est ta tête, après tout, a fait Susan avec un haussement d'épaules.

Puis elle a jeté un coup d'œil au casque que David m'avait offert l'an dernier, celui qui est décoré avec des marguerites blanches, sur l'étagère au-dessus de l'évier.

— J'imagine qu'il ne te sera plus utile, a-t-elle ajouté.

Oui, en effet. Je le portais uniquement parce que Joe, le perroquet de Susan qui se promène en toute liberté pendant les cours de dessin, faisait une fixation sur mes cheveux roux et fondait souvent sur moi quand j'étais tête nue. J'ai foudroyé l'oiseau du regard. Est-ce qu'il allait me fiche la paix, maintenant ?

Mais Joe était occupé à lisser ses plumes sur son

perchoir sans accorder la moindre attention à qui que ce soit, et surtout pas à quelqu'un dont les cheveux étaient noir d'ébène.

Bref, ça marchait. Je n'avais plus à me soucier de lui.

— En fait, j'aime bien, a déclaré David, finalement capable de remarquer autre chose que ma poitrine.

— Tu parles sérieusement ?

Enfin une réponse positive (de la part de quelqu'un qui pouvait juger de visu – le soutien de Catherine ne comptait pas puisqu'elle ne m'avait pas encore vue).

— Je ne fais pas trop penser à Ashlee Simpson ?

David a secoué la tête.

— Absolument pas. Je dirais plutôt Enid dans *Ghost World.*

C'était exactement ce que je voulais ! Ressembler à Enid dans *Ghost World.*

— Merci, ai-je dit.

Vous savez quoi ? David est le meilleur petit ami qui existe sur Terre. Même s'il semble légèrement obsédé par ma poitrine.

— Votre attention, s'il vous plaît ! a lancé tout à coup Susan Boone en se tenant au centre de la pièce, au bord d'une petite estrade recouverte de satin de couleur vive. Tout d'abord, je voudrais vous souhaiter à tous la bienvenue à ce cours d'après modèle vivant. Comme vous pouvez le remarquer, nous avons trois nouveaux élèves parmi nous cette année, David, Rob et Samantha.

Tout le monde nous a salués d'un hochement de tête. Est-ce que certains élèves nous avaient reconnus, David ou moi ? Quoi qu'il en soit, ils sont restés discrets et aucun ne nous a dévisagés ou ne s'est mis à glousser bêtement comme les enfants Johnson. Attention, je ne m'attendais pas à ce qu'ils le fassent. Hé ho, ce sont des adultes, et des artistes de surcroît. Après tout, les artistes sont censés se comporter avec un minimum de dignité comparés au commun des mortels, non ?

— Eh bien, le cours va pouvoir commencer, a continué Susan avant d'appeler quelqu'un qui se tenait au fond de la salle. Terry ? Nous sommes prêts.

Terry, un garçon d'une vingtaine d'années, plutôt grand et mince, s'est alors avancé vers l'estrade, curieusement vêtu d'un peignoir.

D'accord, ce serait un peu plus difficile que de dessiner des fruits ou des cornes de vache. Par exemple, le peignoir de Terry avait un motif cachemire qui n'était pas évident à reproduire, surtout là où le tissu faisait des plis.

J'étais tellement excitée à l'idée de commencer que je n'arrêtais pas de me tortiller sur mon siège. Je sais, il n'y a que les barjos qui sont excités à l'idée de dessiner un motif cachemire. Mais je *suis* barjo, je vous dis. C'est du moins ce qu'on me rabâche tous les jours au bahut dès que j'ouvre la bouche pour parler, même pour dire quelque chose de tout à fait inoffensif, comme : Gwen Stefani a écrit *Simple Kind of Life* la veille de l'enregistrement du disque par No Doubt.

Mais quand Terry est monté sur l'estrade, j'ai vite compris que je n'aurais aucun mal à reproduire le motif cachemire de son peignoir. Car à peine avais-je attrapé mon crayon qu'il l'a laissé tomber à ses pieds.

Et en dessous il était...

... nu comme un ver.

Les dix choses qui m'ont vraiment choquée au cours de ma vie :

10. Gwen Stefani sortant un album solo. Attention, je trouve ça génial, mais qu'en est-il du reste du groupe ? Je me fais du souci pour eux, c'est tout. Sauf pour Tony, évidemment, puisque c'est à cause de lui que Gwen a le cœur brisé.

9. L'annulation du mariage de J. Lo et de Ben. Franchement. Je pensais que ces deux-là étaient faits l'un pour l'autre. Et c'est quoi cette histoire avec Marc Anthony ? Je vous rappelle qu'il est plus petit qu'elle. Je n'y vois aucun inconvénient. Mais c'est comme si elle avait choisi le seul type que P. Diddy pouvait tabasser. Ça ne va pas.

8. Lindsay Lohan jouant dans *Un amour de cocci-*

nelle. N'importe quoi ! Pourquoi font-ils des remakes de ces films, d'abord ? Et qui a pu penser que c'était une bonne idée ?

7. Avoir la moyenne en allemand.

6. Tito, le fils de Theresa, s'inscrivant dans un collège d'enseignement technique et passant tout le premier trimestre à apprendre à se servir d'un logiciel de dessin.

5. Ma sœur Lucy faisant sa lessive.

4. Britney Spears épousant l'un de ses danseurs. Les aventures de J. Lo ne lui ont pas servi de leçon ?

3. Kris Park m'invitant à l'anniversaire de ses seize ans au parc d'attractions Six Flags Great Adventure (je n'y suis pas allée).

2. Mon petit ami fixant tellement ma poitrine qu'il n'a même pas remarqué la nouvelle coloration de mes cheveux.

Mais ce qui m'a vraiment le plus choquée, c'est :

1. Que le premier homme nu qu'il m'a été donné de voir m'était totalement inconnu.

2

O.K. J'en ai vu d'autres. Des hommes nus, je veux dire. À la télé, quand j'étais allée au siège des Nations unies à New York pour l'exposition de peinture, et que j'étais tombée un soir sur une chaîne gay.

Et bien sûr, j'ai vu des photos de la statue de David par Michel-Ange. Sans parler de toutes les œuvres d'art classiques de la National Gallery qui représentent, comme vous le savez, essentiellement des nus.

Ça m'est arrivé aussi de voir mon père. Mais par hasard, quand il sort de la douche en hurlant parce que Lucy a utilisé toutes les serviettes pour sécher ses pulls en cachemire.

Mais le premier homme nu qui ne soit pas de ma famille que je vois EN VRAI et DE PRÈS ? Eh bien, je ne m'attendais pas à ce que ce soit quelqu'un que je ne connaissais pas cinq minutes avant.

Pour tout vous dire, je pensais que le premier homme nu que je verrais, ce serait David.

Du moins, c'est ce que J'ESPÉRAIS. Je n'avais pas du tout prévu ÇA !

J'ai parcouru la salle du regard. Est-ce que les autres étaient aussi surpris que moi de voir Terry en costume d'Adam ?

Apparemment non. Ils étaient tous occupés à dessiner. Même David. Même Rob.

Qu'est-ce qui se passait ici ? Étais-je la seule dans cette pièce à être saine d'esprit ? Pourquoi n'y avait-il que moi qui pensais : « Hé ho ? Personne n'a remarqué qu'il y a un TYPE NU ici ? »

Bon, j'étais visiblement la seule. Pas un pour ne serait-ce que battre des paupières en signe d'étonnement. Non, ils avaient tous leur crayon à la main et se concentraient sur leur dessin.

O.K. J'avais de toute évidence raté une séquence.

Comme je ne savais pas quoi faire, j'ai poussé ma gomme pour qu'elle tombe par terre puis, tout en me penchant pour la ramasser, j'ai jeté un coup d'œil aux carnets de croquis de David et de Rob. Je voulais juste voir s'ils... s'ils allaient TOUT dessiner. Ou s'ils avaient l'intention de laisser un blanc autour du... vous savez quoi. Après tout, c'était peut-être ce qu'on était censés faire ? Comment l'aurais-je su ? Je n'arrivais même pas à DIRE le mot. Alors, le DESSINER ?

Mais j'ai vu que, si David ou Rob ne faisaient pas du, vous savez quoi, le centre de leur dessin, ils l'avaient bel et bien esquissé.

Donc, ça ne leur posait pas de problème de représenter un type sans rien sur le dos. À moins que ce soit plus facile quand vous êtes vous-même doté du même... Vous me comprenez.

Et d'abord, comment se faisait-il que Terry ait été choisi comme modèle ? Il n'était même pas beau. Il était plutôt maigrichon, sans l'ombre d'un muscle, et arborait un tatouage sur le bras gauche qui représentait un cœur transpercé d'une flèche. En fait, avec ses cheveux longs blonds et sa barbe hirsute, il me faisait un peu penser à Jésus.

Sauf que je n'ai pas vu tellement d'images de Jésus NU.

— Sam ?

Pendant ses cours, et surtout pendant qu'on dessine, Susan parle toujours très bas, à peine un murmure qui couvre tout juste la radio, réglée sur une station de musique classique.

Pourtant, bien qu'elle ait parlé tout bas, j'ai sursauté. Dans l'état d'hypersensibilité à la nudité du type qui posait devant nous, aucune musique classique n'aurait pu me calmer.

— QUOI ? ai-je répondu.

Pour une raison qui m'échappe, j'ai aussitôt piqué un fard. C'est le problème quand on est roux. Piquer des fards sans raison particulière, je veux dire. Bref, je sentais que mes joues étaient en feu. L'espace d'une seconde, je me suis demandé si, avec mes cheveux à présent noirs, ça se voyait autant quand je rougissais, et je suis très vite arrivée à la conclusion que ça devait se voir encore plus. À cause du contraste, entre le noir et le rouge. Sans compter que mes sourcils étaient encore roux. Je m'étais juste mis du mascara noir sur les cils.

— Il y a un problème ? m'a demandé Susan tout doucement. Tu ne dessines pas, a-t-elle ajouté en s'accroupissant à côté de moi.

— Non, non. Tout va bien, me suis-je empressée de répondre.

Peut-être un peu trop fort, car David m'a jeté un coup d'œil avant de me sourire et de retourner à son dessin.

— Tu es sûre ? a insisté Susan tout en observant Terry. Tu as un angle parfait de ta place.

Elle a ramassé l'un de mes fusains et a tracé à main levée les contours du corps de Terry sur mon carnet de croquis.

— Regarde. Voici son ligament inguinal, et là, c'est la ligne qui part de sa hanche et qui va vers l'aine. Terry a une anatomie très...

— Hum, hum, ai-je fait, de plus en plus mal à l'aise.

Il fallait que je dise quelque chose, vite.

— Oui, c'est bien ça le problème. Je ne pensais pas voir son ligament inguinal si nettement.

Susan a détourné le regard de son dessin et m'a observée. Elle a dû voir quelque chose dans l'expression de mon visage car elle s'est brusquement exclamée :

— Oh ! Oh !

Enfin, elle avait compris. Au sujet de Terry.

— À... à quoi t'attendais-tu, Sam, quand je t'ai proposé de suivre mon cours d'après modèle vivant ?

— Je pensais qu'on dessinerait des choses *vivantes*, pas des *hommes nus*.

— Mais c'est ça que ça veut dire, « d'après modèle vivant », a continué Susan en s'efforçant de ne pas sourire. Les artistes doivent savoir dessiner le corps humain, mais c'est impossible si des vêtements cachent les muscles et le squelette. Dessiner d'après modèle vivant, ça signifie dessiner des modèles nus.

— C'est ce que je vois, ai-je murmuré.

— Sam ! s'est à nouveau exclamée Susan, mais cette fois sans sourire. Je pensais que... que tu savais.

J'ai relevé la tête et j'ai vu que David nous épiait du coin de l'œil. Mon Dieu ! Il était hors de question qu'il pense que quelque chose n'allait pas. Et surtout pas que la vue d'un homme nu me terrifiait !

— C'est cool, pas de problème, ai-je déclaré en reprenant mon crayon tout en priant pour que Susan s'éloigne et me laisse rougir en paix. Tout va bien, ai-je ajouté, histoire d'être plus convaincante.

Mais Susan ne donnait pas l'impression de me croire.

— Tu es sûre ? a-t-elle insisté. Ça va ?

— Je pète le feu !

Mais qu'est-ce qui me prenait ? Je voyais pour la première fois un homme nu et tout ce que je trouvais à dire, c'est : « Je pète le feu » ?

J'avoue que je ne sais pas comment j'ai fait pour tenir jusqu'à la fin du cours. J'ai essayé de me concentrer pour dessiner ce que je VOYAIS et non pas ce que je SAVAIS, comme Susan me l'avait appris l'année dernière. Cela dit, bien que je SACHE que je dessinais un type nu, ça m'a quand même aidée quand ce que j'ai vu, c'est une ligne allant d'un côté, et une autre de l'autre, avec une ombre ici, et une autre là, etc. En divisant Terry en courbes et en droites, j'ai fini par le représenter de façon assez réaliste et, je dois dire, plutôt réussie.

Quand, à la fin du cours, Susan nous a demandé de poser nos carnets de croquis sur le rebord de la fenêtre afin qu'on puisse se critiquer à tour à de rôle, j'ai vu que mon dessin n'était ni mieux ni pire que ceux des autres. Par exemple, en le regardant, il était impossible de deviner que c'était la première fois que je voyais un type nu.

D'après Susan, je n'aurais cependant pas dû fixer le sujet de mon dessin, à savoir représenter Terry flottant au milieu de ma feuille, sans fond pour le soutenir.

— Tu nous as fait une très belle représentation des diverses parties du corps de Terry, Sam, mais tu n'as pas réfléchi à son corps comme formant un ensemble.

Pour une fois, je n'ai pas mal pris ses critiques. J'étais trop contente d'avoir réussi à dessiner étant donné le choc qu'avait provoqué chez moi la nudité de Terry.

Histoire de me mettre encore plus dans l'embarras, celui-ci est venu me voir alors que je rangeais mes affaires.

— J'ai bien aimé ton dessin, m'a-t-il dit. Au fait, tu ne serais pas la fille qui a sauvé le président ?

Heureusement, il avait remis son jean. Du coup, j'ai pu le regarder dans les yeux en lui répondant :

— Oui, c'est moi.

— C'est bien ce que je pensais. C'est cool ce que tu as fait. Mais... qu'est-ce qui est arrivé à tes cheveux ?

— Je voulais changer, ai-je déclaré – un peu brusquement, je l'admets.

— Oh, a fait Terry. Je comprends. Je trouve ça super cool.

Ce qui n'était pas très rassurant, si on y réfléchit bien, car le compliment venait quand même d'une personne qui gagnait sa vie en se montrant nu. Mais bon.

En tout cas, c'est moi qui ne devais pas paraître très cool car on était à peine sortis de chez Susan Boone que David – qui m'avait proposé de me raccompagner en voiture – m'a dit, en se retenant tant bien que mal de ne pas pouffer :

— Alors, que penses-tu du... ligament inguinal de Terry ?

J'ai failli avaler de travers le chewing-gum que je venais d'entamer.

— Heu... j'ai déjà vu plus grand.

— C'est vrai ? a fait David en ne riant plus du tout. Pourtant, il était assez... imposant.

— Pas autant que ceux que j'ai déjà vus, ai-je répété.

Je pensais évidemment aux types de la chaîne gay, à New York.

— J'espère que ce sera une femme, la prochaine fois, a déclaré Rob, l'agent des services secrets, en contemplant tristement son carnet de croquis. Sinon, les gars au bureau vont me poser des questions.

On a éclaté de rire, David et moi – moi, d'un rire plutôt nerveux, je le reconnais. C'est que j'étais *encore* sous le choc. Je sais, en tant qu'artiste et tout ça, je ne devrais voir dans un corps nu qu'un corps nu, c'est-à-dire le sujet de ma création.

Sauf que, moi, ça me faisait penser au... vous savez quoi de David, et au fait qu'un jour je serais peut-être amenée à le voir. Est-ce que j'en aurais envie, d'abord ? Jusqu'à aujourd'hui, je pensais que oui. À présent, j'en étais moins sûre.

Attention, je ne suis pas en train de raconter qu'on a eu plein de fois l'occasion de vivre ce genre d'expérience, David et moi. Parce qu'essayer de partager un moment d'intimité avec le fils du président des États-Unis, ça relève du défi, c'est le moins qu'on puisse dire. Surtout qu'il y a toujours un type avec un talkie-walkie à la main dans les parages.

Mais bon, on se débrouille. Et puis, il y a chez moi, bien sûr. Sauf que mes parents ont institué une règle concernant les garçons, à savoir qu'ils n'ont pas le droit de monter dans nos chambres.

Mais mes parents ne sont pas *toujours* à la maison. Et Theresa rentre chez elle le week-end. Bref, quand tout le monde est occupé – Lucy à un match, Rebecca à une démonstration de qigong et mes parents à assister à l'un ou à l'autre –, David et moi, on en profite pour s'enfermer dans ma chambre. Dimanche dernier, par exemple, alors qu'on s'embrassait justement dans ma chambre – et de plus en plus passionnément –, on n'a pas entendu la porte d'entrée s'ouvrir. Heureusement que Manet, mon chien, s'est mis à aboyer pour accueillir celui ou celle qui avait décidé de rentrer plus tôt que prévu – c'était Rebecca –, sinon, on aurait été surpris dans une position assez compromettante.

Cela dit, je pense que cela aurait laissé Rebecca indifférente. Car quand on est descendus, David et moi, avec l'air d'avoir passé tout l'après-midi à faire nos devoirs, tout ce qu'elle a trouvé à nous dire, c'est :

— Savez-vous que les mauvaises graisses, comme celles qu'on trouve dans les cookies, ne représentent que 0,5 % des calories journalières chez les Européens contre 2,6 % chez les Américains, ce qui expliquerait pourquoi les Européens sont si minces malgré tout le fromage qu'ils mangent ?

Pour en revenir à David, me raccompagner à ma porte quand on rentre de quelque part est le SEUL moment où on est assurés de passer quelques minutes sans la présence d'un adulte... du moins, jusqu'à ce que Theresa ou l'un de mes parents se rendent compte qu'on est dehors en train de s'embrasser sur le perron.

Je vous le dis, ce n'est pas facile quand votre petit ami est le fils du chef de la nation.

Bref, alors que David me raccompagnait comme à son habitude jusqu'à la porte de la maison, il m'a attirée sous l'ombre du saule pleureur, m'a plaquée contre le tronc et m'a embrassée.

Ça aussi, c'était son habitude. Et je dois reconnaître que ces habitudes-là ne sont pas pour me déplaire.

En même temps, je ne m'étais pas encore tout à fait remise de la vision du corps nu de Terry, et du coup, j'avais du mal à me concentrer sur ce que je faisais.

David a dû s'en apercevoir car il a relevé la tête et m'a dit, l'air de rien :

— Tu penses vraiment que le ligament inguinal de ce type était petit ?

— Non, ai-je répondu en souriant. Et toi, tu aimes vraiment la couleur de mes cheveux ?

— Oui, mais ce que j'aime surtout, c'est ton tee-shirt. Au fait, tu veux venir avec moi à Camp David pour Thanksgiving ? Mais à une condition. Que tu portes ce tee-shirt.

— O.K., ai-je dit avant de relever la tête brusquement, ce qui m'a valu de me cogner contre le tronc de l'arbre. Attends ! Qu'est-ce que tu viens de dire ?

— Je te parlais de Thanksgiving, a répondu David tout en m'embrassant dans le cou. Tu sais, c'est une fête nationale, qu'on célèbre généralement en se gavant de dinde et...

— Je sais ce qu'est Thanksgiving, David, l'ai-je coupé. Je te parlais de... Camp David.

— Camp David est la résidence secondaire du président des États-Unis. Elle se trouve dans le Maryland et...

— Arrête de te moquer de moi. Je sais aussi ce que

c'est que Camp David. Dis-moi plutôt comment tu as fait pour que tes parents acceptent que tu m'invites ?

— Je n'ai rien fait de spécial. Je leur ai juste demandé si tu pouvais venir et ils m'ont dit qu'ils n'y voyaient pas d'inconvénient. Mais c'est vrai que c'était avant.

— Avant quoi ?

— Avant qu'ils voient ce que tu as fait à tes cheveux. Mais je suis sûr qu'ils seront toujours d'accord pour que tu viennes. Alors, ça te tente ?

— Tu parles SÉRIEUSEMENT ?

Comment pouvait-il plaisanter sur ce genre de sujet ? Parce que ce n'était pas rien. C'était même ÉNORME ! Mon petit ami me demandait de partir en week-end avec lui. EN WEEK-END !

Bon d'accord, ses parents seraient là, mais quand même. Ça devait bien vouloir signifier quelque chose.

Non ?

— Évidemment, je parle sérieusement, a dit David. Ça sera sympa. Il y a des tas de choses à faire. Des balades à cheval. Regarder des films. Jouer au *parcheesi*.

Au *parcheesi* ? AU PARCHEESI ? Était-ce une espèce de code qu'employaient les garçons pour dire « faire l'amour » ? Parce que c'est bien ce que me proposait David, non ? Faire l'amour avec lui.

N'est-ce pas ce que font les couples quand ils partent en week-end ?

— Ne me dis pas que tu n'en as pas envie, a-t-il repris. Je ne te croirais pas.

Comment ? Comment savait-il que j'en avais envie ? Est-ce que mon corps m'avait trahie sans que je m'en aperçoive ? Le problème, c'est que je n'étais pas si sûre que ça d'en avoir envie. Bon d'accord, parfois, j'en avais très envie, mais PARFOIS seulement. En tout cas, je n'en avais certainement pas envie MAINTENANT, surtout après avoir été obligée de regarder un type nu pendant trois heures.

— Tu m'as dit que tous les ans, vous fêtiez Thanksgiving chez ta grand-mère à Baltimore et que tu t'y ennuyais à mourir, a continué David. Alors viens à Camp David avec moi !

Que pouvais-je répondre à ça ? J'ai hésité puis d'un seul coup, sans réfléchir, j'ai sorti :

— Mes parents n'accepteront JAMAIS.

Je sais, j'aurais pu dire : « Je ne suis pas sûre d'être prête, David » ou bien « Est-ce que tu penses à ce que je pense quand tu me proposes de jouer au *parcheesi* ou... ne s'agit-il que d'un simple jeu ? » Mais non. Au lieu de dire ÇA, j'ai invoqué mes parents. En même temps, il était fort possible qu'ils n'acceptent pas.

— Arrête ! Je suis sûr qu'ils diront oui, a insisté David. Après tout, c'est à Camp DAVID que je t'invite et tu seras avec le PRÉSIDENT des États-Unis et des tonnes d'agents secrets. Et puis, tes parents te font confiance. Du moins, ils te faisaient confiance avant que tu ne changes la couleur de tes cheveux.

— David, ne te moque pas...

Mon cœur battait super vite, et pas à cause d'un quelconque frisson, je peux vous l'assurer.

— C'est juste que... ce n'est pas rien.

— Je sais. Mais ça fait plus d'un an qu'on sort ensemble. À mon avis, on est prêts, tu ne crois pas ?

Prêts à quoi ? À passer un week-end à Camp David à se gaver de dinde et à jouer au *parcheesi* ? C'est-à-dire à faire l'amour ?

David ne devait sans doute envisager que la seconde éventualité. Ce n'était pas possible autrement. Aucun garçon ne proposerait à une fille de partir en week-end avec lui pour manger de la tarte à la citrouille et faire un jeu de société. Vrai ou faux ?

VRAI OU FAUX ?

— Je ne sais pas, David, ai-je fini par dire. Je... je vais y réfléchir. Ça arrive tellement vite.

Mais était-ce vraiment le cas vu jusqu'où nous étions allés, ce fameux dimanche, quand on s'était retrouvés seuls dans ma chambre ? Un week-end à Camp David n'était-il pas l'étape suivante à laquelle il fallait naturellement s'attendre ?

— Allez, a fait David en glissant ses mains le long de mon tee-shirt.

Ce n'était pas juste. David n'avait pas le droit de

jouer avec mes émotions comme ça. Enfin, pas tant avec mes émotions qu'avec ma *morphologie* (définition donnée par les annales : forme, configuration, apparence externe d'un organisme vivant ; ex. *la morphologie d'un athlète*).

— Dis oui, a-t-il murmuré à mon oreille.

Avant de poursuivre, je tiens à préciser que c'est très difficile de savoir quoi répondre quand un garçon pose sa main sur votre soutien-gorge.

— Oui, me suis-je entendue répondre.

Comment ai-je pu me fourrer dans un pétrin pareil ?

Je vous le demande.

Les dix lieux les plus fréquents où une fille perd sa virginité :

10. À l'arrière de la voiture du garçon, comme Ione Skye dans *Un monde pour nous* (en même temps, vu que la voiture appartient à John Cusack, ça ne doit pas être si mal que ça).

9. À l'hôtel après le bal du lycée qui couronne la fin des études secondaires. C'est un tel cliché. Dire que des tas de filles sont persuadées que c'est super romantique !

8. Dans le lit de ses parents un week-end où ils sont absents. Berk. Le lit de ses PARENTS ? Là où on a peut-être été conçu ? AU SECOURS !

7. Dans le lit des parents du garçon un week-end où ils sont absents. Vérifier de ne rien laisser derrière soi.

6. Sous la tente, l'été, en colo. Hé ho, ça va pas ? Sous la tente. ALORS QUE TOUT LE MONDE PEUT ENTENDRE ?

5. Sur la plage. On a du sable partout.

4. N'importe où en plein air. Attention aux piqûres d'insectes.

3. Dans la chambre du garçon. Bon. Ça vous est déjà arrivé d'être incommodée par ce qu'on appelle une odeur de fauve ? Eh bien, dites-vous que sa chambre risque de sentir la même chose. Le problème, c'est qu'il ne s'en rend pas compte. Comme si son odorat s'y était habitué, de la même façon que le vôtre s'est habitué au parfum de votre déodorant.

2. Dans votre chambre. C'est ça, oui ! Sous les yeux de votre nounours ?

Mais l'endroit n° 1 où l'on risque de perdre sa virginité, c'est :

1. Camp David.

Bon d'accord, ça ne doit pas arriver très souvent. Sauf que c'est apparemment là où, MOI, j'ai toutes les chances de la perdre, la mienne.

3

Cela dit, j'ai un atout en réserve. Et cet atout, ce sont mes parents.

Parce que JAMAIS ils n'accepteraient de me dispenser de Thanksgiving chez grand-mère pour partir en week-end avec mon petit copain.

Même à Camp David.

Et même sous la surveillance du président de la nation.

Ce qui signifie pas d'amour. Ou de *parcheesi*, comme dit David.

En fait, je ne suis pas tellement bouleversée à l'idée que mes parents refusent que j'aille à Camp David. Je parle sérieusement. Je ne suis même pas sûre du tout d'avoir envie d'y aller. D'accord, je le reconnais, j'ai eu envie d'y aller quand David a glissé ses mains le long de mon tee-shirt...

Mais dès qu'il les a retirées, ça ne m'emballait plus, mais alors plus du tout.

Car il faut bien l'admettre : faire l'amour avec un garçon pour la première fois, c'est un sacré pas à franchir. Ça change complètement les relations. Du moins, c'est ce qu'ils racontent dans les livres d'amour de Lucy, ceux qu'elle laisse traîner dans la salle de bains et que je lis de temps en temps quand j'ai fini un roman de science-fiction. Bref, dans ce genre de livres, dès que la fille et le garçon se mettent à le faire, c'est fichu. Ils ne font plus que ça. Terminé le cinéma. Terminé les restaurants. Quand ils se retrouvent, c'est pour le faire.

Bon, d'accord, ça ne se passe peut-être pas comme ça dans la vraie vie. Comment en être sûr ? Déjà que je ne suis pas sûre d'être prête.

Bref, si maman et papa me répondent que je ne peux pas aller à Camp David, je n'en ferai pas une maladie. C'est tout ce que j'ai à dire.

J'ai lâché la bombe en rentrant de mon cours de dessin. Comme je partais du principe qu'ils diraient non, je me suis dispensée de préparer le terrain en émaillant mon discours de sous-entendus subtils. À quoi bon s'embêter ? Ils allaient dire non. Et David allait devoir apprendre à vivre avec ses déceptions.

Ils étaient assis à la table de la salle à manger avec Lucy.

— Papa et maman, ai-je déclaré sans prendre la

peine de m'excuser de les interrompre, je peux aller à Camp David pour Thanksgiving avec David et ses parents ?

— Bien sûr, ma chérie, a dit mon père.

Ma mère, elle, s'est exclamée :

— Sam ! Qu'as-tu fait à tes cheveux ?

— Je les ai teints, ai-je répondu avant de m'exclamer à mon tour : Que veux-tu dire par *Bien sûr, ma chérie*, papa ?

— C'est permanent ? a demandé ma mère.

— Semi, ai-je lâché à l'adresse de ma mère. Papa ? Tu parles sérieusement. Et grand-mère ?

— Ta grand-mère s'en remettra, m'a-t-il assuré. Mais dis-moi, a-t-il ajouté en considérant lui aussi mes cheveux. À quoi es-tu censée ressembler ? À l'un de ces personnages de mango que tu lis tout le temps.

— De manga, l'ai-je corrigé. Si j'ai bien compris, tu es d'accord pour que j'y aille.

— Aller où ?

— À Camp David. Avec David. Pour Thanksgiving. Pour le *week-end* de Thanksgiving. C'est-à-dire que j'y passerais la NUIT de samedi.

— Je ne vois pas pourquoi tu n'irais pas, a déclaré ma mère. Ses parents seront là, n'est-ce pas ? Pour en revenir à tes cheveux, Samantha, la prochaine fois qu'il te vient une idée de ce genre, parle-m'en avant. Je te prendrai rendez-vous chez mon coiffeur. Il vaut mieux laisser faire les spécialistes.

Là-dessus, ils m'ont tous les deux tourné le dos pour accorder de nouveau leur attention à Lucy et au problème qu'elle devait leur poser... sans doute une histoire d'emploi du temps entre son entraînement de pompom girl et une réunion d'information sur l'université à laquelle ils tenaient à ce qu'elle participe. Depuis quelque temps, ils ne cessaient de la harceler pour qu'elle se décide enfin sur ce qu'elle voulait faire l'année prochaine.

Bref, encore une fois, il n'y en avait que pour Lucy.

Hé ho ? Et votre autre fille ? Vous vous en souvenez ? Vous savez, celle qui vient d'être invitée par son petit ami à passer le week-end de Thanksgiving à jouer au PARCHEESI avec lui ? Et vous avez dit oui.

Je n'en revenais pas. JE N'EN REVENAIS PAS. Mes parents me laissaient partir en week-end avec David.

O.K., son père est le président des États-Unis et il venait avec nous.

Mais ce n'est pas parce que votre père est le président de la nation que vous n'avez pas envie de jouer au PARCHEESI !

Mes parents avaient-ils pensé à ça ?

Apparemment non. Apparemment, mes parents étaient les gens les plus naïfs de la terre.

Et maintenant, grâce à eux, tout laissait croire que j'allais passer le week-end de Thanksgiving à Camp

David à considérer de très près le ligament inguinal de mon petit copain.

Dites-moi que je rêve !

La tête me tournait encore quand, un quart d'heure plus tard, Lucy est apparue dans l'encadrement de la porte de ma chambre. Comme j'avais mes écouteurs sur les oreilles – j'écoutais *Tragic Kingdom* dans l'espoir que Gwen apaise mon esprit anéanti –, tout ce que j'ai vu pendant quelques minutes, ce sont ses lèvres qui bougeaient. J'ai fini par retirer mon casque et j'ai dit, d'une voix si brusque que Manet, qui dormait à mes pieds, a sursauté :

— *Quoi ?*

— Je te demandais ce que TU avais, a répondu Lucy. On a l'impression que tu viens d'apprendre la mort de John Mayer.

Il faut savoir que dans le monde de Lucy, si John Mayer mourait, les gens paniqueraient. Dans le mien, personne ne s'en rendrait compte.

— Eh bien, sache que, pendant que tu aideras grand-mère à allumer les bougies en mémoire des Pèlerins, moi, je serai en train de perdre ma virginité avec mon petit copain à Camp David.

C'est ce que j'aurais AIMÉ lui dire.

Mais dans la mesure où je pressentais que ce n'était pas la meilleure chose à confier à ma sœur, je me suis contentée de répondre ce qui me passait par la tête :

— Disons que je ne me sens pas dans mon assiette

parce que j'ai vu, aujourd'hui pour la première fois, un homme nu.

J'ai tout de suite compris que j'aurais dû trouver autre chose. N'IMPORTE QUOI. Car ma réponse a eu sur Lucy l'effet inverse de celui que j'escomptais : elle n'est pas partie.

Non, elle est entrée dans ma chambre, et comme une tornade, sans prendre garde à mes figurines de Hellboy artistiquement posées sur le haut de ma coiffeuse.

— C'est vrai ? a-t-elle fait d'une voix vibrante de curiosité. Tu as vu David NU ?

— Non, pas David. Un type qui s'appelle Terry. C'est le modèle qui posait pour nous au cours de Susan Boone.

— Ouah ! Ça craint que le premier homme nu que tu voies ne soit pas ton petit ami.

Étant donné que c'était exactement ce que je pensais quelques heures auparavant, ça m'a fait drôle de m'entendre répondre :

— C'est à ça que servent les cours d'après modèle vivant. Tu ne peux pas apprendre à dessiner le corps d'un homme, ou d'une femme, si des vêtements cachent ses muscles ou son squelette.

À ce moment-là, pour une raison qui m'échappe totalement, je me suis surprise à me confier à Lucy.

Oui. À Lucy, MA SŒUR LUCY. J'ai dû perdre la tête, je ne vois pas d'autre explication. La personne vers qui j'aurais dû me tourner, c'était de toute évidence Dauntra, la fille avec qui je travaille chez Potomac Video. Mais non, il a fallu que je raconte tout à Lucy. J'avais l'impression que mes lèvres bougeaient toutes seules sans lien aucun avec mon cerveau.

— Mais ce n'est pas tout, ai-je ajouté à la fin, à ma grande horreur. David m'a demandé d'aller à Camp David avec lui.

— Oui, je sais, a répondu Lucy. J'étais là quand maman et papa t'ont donné leur autorisation. Ma pauvre, tu vas t'ennuyer. Il ne pouvait pas te proposer plutôt de faire du lèche-vitrines, comme n'importe quel petit ami qui se respecte.

C'était le moment parfait pour m'arrêter, vu que Lucy n'avait manifestement pas saisi un mot de ce que je venais de lui dire. Mais non, une fois de plus, ma bouche a continué à s'animer toute seule.

— Je crois que tu ne comprends pas, Lucy. *David m'a demandé de passer le week-end avec lui à Camp David.*

— Oui, je sais. Tu l'as déjà dit, et je te répète que tu risques de t'ennuyer. Qu'est-ce qu'il y a à faire, là-bas ? Du cheval ? Des ricochets au bord du lac. C'est vrai que vous pourriez peindre, puisque vous êtes tous les deux branchés peinture. Mais à mon avis, tu vas plus t'ennuyer à Camp David que chez grand-mère. Je ne suis même pas sûre que tu puisses faire du shopping.

— Lucy, l'ai-je coupée.

J'avais du mal à croire qu'elle n'ait toujours pas compris. Et j'avais du mal à croire que je m'obstine à vouloir lui faire comprendre. Mais qu'est-ce qui me prenait ? Pourquoi je tenais tant à le lui dire ?

— Lucy, ai-je répété. David m'a proposé de partir en week-end avec lui. *En week-end.* Et papa et maman ont dit oui.

— J'ai bien remarqué, a-t-elle répondu avec un haussement d'épaules. Tu as de la chance qu'ils apprécient autant David. Jamais ils ne m'auraient laissée partir en week-end avec Jack. Cela dit, ses parents seront là.

— Oui, ai-je marmonné.

C'était désespérant. Lucy ne comprendrait-elle jamais ?

Mais pourquoi comprendrait-elle ? Dans son esprit, des gens comme moi – et soyons réalistes, comme David –, ne le font pas, tout simplement. Et l'idée que des tordus dans mon genre puissent avoir des hormones lui était totalement étrangère.

C'est du moins ce que je pensais. Je commençais même à me résigner et à me dire, *Eh bien, tant mieux, puisque finalement, je préfère qu'elle ne soit pas au courant*, quand tout à coup, Lucy m'a saisi le poignet et s'est écriée, les yeux écarquillés :

— Oh, mon Dieu ! Oh mon Dieu ! Ne me dis pas

que... Oh mon Dieu ! Vous allez... David et toi... à CAMP DAVID ?

Et voilà. Elle savait.

Curieusement, ça m'a soulagée. J'étais gênée mais soulagée. Ne me demandez pas pourquoi.

Lucy a poussé Manet qui dormait sur mon lit et s'est assise à sa place.

— C'est un moment super important dans la vie d'une femme, tu le sais, Sam, a-t-elle fini par dire. Tu es sûre d'être prête ?

— Oui et non. J'ai envie et en même temps, je...

— Tu es morte de peur, m'a-t-elle coupée. Tu n'as aucune raison de l'être, tant que tu prends toutes les précautions nécessaires, a-t-elle continué sur le même ton avec lequel elle me conseille de ne pas porter de bottes avec une jupe courte si je ne veux pas donner l'impression d'avoir de grosses cuisses. Quel jour sommes-nous ? Mardi ? Tu dois commencer la pilule le premier dimanche de ton cycle et comme tu as eu tes règles la semaine dernière, c'est bien ça ? même si tu allais au planning familial demain, ce serait trop tard pour Thanksgiving. Il ne te reste donc que la solution des préservatifs. Cela dit, je te déconseille de te rendre dans une pharmacie du quartier, on pourrait te reconnaître. Et alors, tout le bahut serait au courant... et dans ton cas, la nation entière. Finalement, sauver le père de David est la pire chose qui t'est arrivée. C'est vrai, quoi. Tu ne peux RIEN faire sans que le monde entier veuille s'en mêler. C'est comme avec tes cheveux, parce que, excuse-moi, mais on sait bien que c'est TOI. C'est toi, mais avec des cheveux noirs. Au fait, tu veux que je les achète à ta place ?

J'ai considéré ma sœur d'un air ahuri. Je comprenais le sens des mots qui sortaient de sa bouche, mais je n'arrivais pas à croire qu'elle s'adressait à MOI.

— Inutile de compter sur les garçons pour s'en occuper, Sam, a repris Lucy.

De toute évidence, elle se méprenait sur mon silence et devait penser que j'étais choquée à l'idée qu'elle fourre son nez dans mes affaires.

— Même un garçon comme David, qui fréquente une école pour surdoués, a-t-elle continué. Laisse-moi faire. Je passerai à la pharmacie, ce soir, en sortant des cours.

— *Ngrh*..., suis-je seulement parvenue à émettre.

Lucy m'a tapoté la tête. Je parle sérieusement. ELLE M'A TAPOTÉ LA TÊTE. Comme si j'étais Manet.

— Ne t'inquiète pas. C'est à ça que servent les sœurs, non ? Moi, je trouve que vous avez raison de le faire, David et toi. Ça fait un an que vous sortez ensemble et David est vraiment un type bien, même s'il est... un peu bizarre, parfois. Admets que ses tee-shirts ne sont pas ordinaires. Il a un truc avec les groupes des années 80 ou quoi ? Et tout son discours sur l'art est assez rasant. Mais c'est vrai qu'il n'a pas trop le choix. S'il se fait remarquer, il peut être sûr d'être en couverture de *Teen People* le mois suivant.

— Mais..., ai-je commencé, soulagée de constater que j'étais au moins capable de formuler des mots à nouveau, même si j'étais encore loin de faire de longues phrases. Tu ne crois pas... que... Et Kris alors ?

Lucy a cligné des yeux plusieurs fois.

— Quelle Kris ?

— Kris Park.

— Qu'est-ce que Kris Park a à voir avec tout ça ?

— Eh bien... On devrait peut-être attendre, David et moi, non ?

— Attendre ? Mais attendre quoi ?

— Attendre de... de se marier, ai-je répondu en me tordant les mains tellement j'étais mal à l'aise.

— Non ! Est-ce que tu serais par hasard entrée chez les intégristes en même temps que tu t'es teint les cheveux ?

— Non, ai-je dit encore PLUS mal à l'aise. C'est juste cette histoire de... nympho.

Lucy a froncé les sourcils.

— Depuis quand coucher avec son petit ami fait de toi une nympho ?

— Tu... tu sais bien, ai-je bafouillé en toussotant pour m'éclaircir la voix. Kris a fondé ce... ce club... Le Droit Chemin.

Lucy a éclaté de rire, comme si c'était la chose la plus drôle qu'elle avait jamais entendue.

— Contente-toi de suivre le Droit Chemin en ce qui TE concerne, Sam.

Puis elle s'est levée et a ajouté :

— Je suis bien contente d'avoir eu cette petite conversation avec toi, mais il faut que je te laisse. Maman et papa ont reçu mes notes de l'examen blanc et ils ne sont pas du tout ravis. Ils veulent me faire donner des cours particuliers. Ils se demandent même si je ne vais pas devoir arrêter l'entraînement des pompom girls pour avoir plus de temps pour étudier. Tu y crois, toi ? a-t-elle dit en secouant la tête d'un air triste. Comme si pour être styliste, mes notes de l'examen blanc comptaient. Je n'ai pas besoin d'avoir de bons résultats, j'ai besoin de faire un stage chez Marc Jacobs. Bref, il va falloir que j'appelle les filles pour leur annoncer qu'à cause des parents, elles risquent de se retrouver sans chef d'équipe.

Et sur ces paroles, Lucy est retournée dans sa chambre sans me laisser le temps de lui répondre.

Ou de lui poser certaines questions. Car j'en avais des tonnes à lui poser !

C'est clair qu'elle l'avait déjà fait. Elle pourrait donc m'expliquer comment... et si... Bref, vous voyez ce que je veux dire. En même temps, plus j'y réfléchissais, moins j'avais envie de l'entendre me faire un compte rendu détaillé de sa première expérience sexuelle avec Jack car, comme tous les autres membres de la famille, je n'appréciais pas trop Jack. C'est vrai qu'il était un peu plus supportable depuis qu'il était à l'université et qu'il ne traînait plus à la maison à pontifier sur l'art et sur la façon dont les artistes sont exploités et incompris par le reste du monde.

O.K., je reconnais qu'il fut une époque où j'étais d'accord avec lui.

Mais c'était une période obscure de mon existence sur laquelle je ne tiens pas à m'étendre. Surtout depuis que j'ai rencontré David qui, lui, ne dit jamais des trucs comme « L'homme ne cesse de m'abaisser » ou « La société doit entretenir ses artistes ».

C'est l'une des nombreuses raisons pour lesquelles j'aime David... même si ça aide qu'il apprécie autant ma silhouette quand je porte mon tee-shirt Nike.

Je me demande juste si je l'aime suffisamment pour le laisser voir ce qu'il y a en dessous.

Les dix raisons pour lesquelles ma sœur Lucy s'en sort mieux que moi :

10. Comme je suis devenue célèbre depuis que j'ai sauvé la vie du président, chaque fois que je ne réfléchis pas à ce que je fais – par exemple, porter ma chemise à l'envers, comme cela m'arrive souvent les matins où je n'ai pas bu assez de café pour me réveiller –, je peux être sûre de me voir en couverture de *People* ou de *Us Weekly* sous le titre : *Nos célébrités sont comme nous !*

9. Bien que Lucy ait raté son examen blanc, elle ne fait jamais des trucs idiots comme mettre son chemisier à l'envers. Résultat, même si elle avait sauvé la vie du président et était devenue une héroïne nationale, on ne la verrait jamais en couverture de magazines habillée n'importe com-

ment. Parce que ça ne lui arrive jamais. Lucy est toujours élégante, quelle que soit l'heure à laquelle elle se réveille.

8. Elle sort avec un rebelle qui roule à moto – bon d'accord, elle n'a pas le droit de monter derrière lui –, et va à des soirées sympa, comme les premières de concerts de rock où les musiciens lancent des morceaux de viande fraîche sur un écran où sont projetées des photos des divers dirigeants du monde. Comme je sors avec le fils du président, moi, c'est à la générale de la *Tosca* au Kennedy Center que j'assiste, en compagnie des mêmes leaders, mais en chair et en os. C'est nettement moins drôle.

7. Quand on me voit en couverture de *Us Weekly* avec ma chemise à l'envers, je partage généralement la une avec Mary-Kate et Ashley. Si Lucy était à ma place, vous pouvez être sûr qu'on la verrait à côté de Gwen Stefani.

6. Je reçois régulièrement des vêtements de stylistes qui me supplient de porter leurs créations (à la place de mes chemises que je mets à l'envers), afin qu'on les voie en couverture de *Us Weekly*. Sauf que, généralement, je dois les leur renvoyer parce que mes parents ne me laisse-

raient jamais aller au lycée en bustier, et aussi parce que, à l'inverse de Lucy, je n'ai pas suffisamment de poitrine pour porter un bustier, justement. Je suis sûre que, si c'était Lucy qui les recevait, elle les garderait.

5. Pour dire « faire l'amour », mon petit ami emploie apparemment l'expression « jouer au *parcheesi* ». Je ne sais pas quelle est la formule du petit ami de ma sœur, mais je suis prête à parier que ce n'est pas celle-là.

4. Lucy sait calculer de tête la taxe à l'achat. Et elle sait faire la roue. Moi, tout ce que je sais faire, c'est dessiner un type nu. Et apparemment, pas très bien puisqu'il paraît que je me concentre sur les différentes parties et non sur l'ensemble de son corps.

3. Maman et papa adorent mon petit ami et lui font confiance. Ce qui n'est pas le cas du petit ami de Lucy. Du coup, ils passent des heures à se disputer avec elle à son sujet en lui disant qu'elle mérite mieux. Moi, ils m'ignorent.

2. Je n'ai qu'une seule amie – ma meilleure amie, Catherine, qui est si douce et si sensible que je n'ose pas lui confier que mon petit copain m'a plus ou moins proposé de coucher avec lui. J'ai

trop peur de la faire flipper vu qu'elle n'a plus de petit ami (personnellement, je ne considère pas comme tel son copain qui habite maintenant le Qatar) –, tandis que Lucy a des centaines d'amies à qui elle peut se confier parce que ce sont toutes des filles superficielles qui n'ont aucune émotion.

1. De toute évidence, elle l'a déjà fait et n'y pense apparemment plus puisque j'ai cru comprendre que ce n'était pas si important que ça pour elle. En ce qui me concerne, c'est SUPER important, ce qui signifie que ça risque de me hanter jusqu'à l'âge de trente ans ou jusqu'à ma mort, en fonction de ce qui arrive en premier.

4

— À quoi il ressemblait ? m'a demandé Catherine.

Je n'en revenais pas qu'elle ait envie de savoir. C'est-à-dire que je comprenais et que je ne comprenais pas. Ce qui était sûr, c'est que moi, je n'avais pas envie d'en parler.

— Il ressemblait à un sexe de garçon, ai-je répondu. À quoi t'attendais-tu ? Tu as bien déjà vu celui de ton petit frère.

— Oui, mais ce n'est pas pareil, et c'était quand il était bébé, avant que... Tu vois ce que je veux dire.

Comme je regrettais d'avoir mis ce sujet sur le tapis ! En même temps, Catherine m'avait demandé comment s'était passé mon cours d'après modèle vivant. Il fallait bien que je lui explique ce qu'on entendait par « modèle vivant ».

— Sam ?

Je me suis retournée. Kris Park venait de nous rejoindre, Catherine et moi, dans la queue au réfectoire.

— Tu as une minute ?

Kris n'est pas une fille que j'apprécie particulièrement. Mais depuis que je suis passée aux infos, elle fait comme si on s'adorait.

— Je me demandais si tu accepterais de venir nous aider à installer les chaises dans le gymnase, a-t-elle continué en *minaudant* (définition donnée par les annales : prendre des manières affectées pour attirer l'attention, plaire ou séduire). Tu sais, pour l'allocution du président...

— Oui, bien sûr, ai-je répondu, dans l'espoir que cela la ferait partir.

— Chouette !

Kris est du genre à dire des choses comme « Chouette ». C'est presque aussi nul que dire, comme moi, « Je pète le feu », la première fois que je vois le vous savez quoi d'un homme.

— On aura vraiment besoin d'un coup de main, a-t-elle poursuivi. Jusqu'à présent, les seules personnes qui se sont proposées sont les membres du conseil, et ceux du Droit Chemin, évidemment. C'est très gênant. Le président de la nation choisit notre établissement pour annoncer son nouveau programme et ça laisse indifférent la plupart des élèves. J'espère qu'il ne va pas penser qu'on est TOUS comme ça. Je préférerais qu'on lui fasse bonne impression. Et qu'on fasse bonne impression aussi à Random Alvarez. Il est tellement mignon.

À ce moment-là seulement, elle a levé les yeux et a remarqué mes cheveux.

— Qu'est-ce qui est arrivé à tes...

Elle s'est arrêtée juste à temps et s'est mordu la langue.

— Peu importe.

— Tu veux parler de mes cheveux ? Je les ai teints. Pourquoi ? Tu n'aimes pas ?

Je savais qu'elle n'aimait pas. Les filles comme Kris Park ne sont pas très noir d'ébène. Je m'amusais juste à la torturer.

— Si, ça te va très bien ! s'est-elle exclamée. C'est permanent ?

— Semi. Pourquoi ?

— Comme ça, a-t-elle dit, un large sourire aux lèvres. C'est super !

Elle mentait, évidemment. En me regardant soigneusement dans le miroir de la salle de bains ce matin, je n'avais pu que donner raison à Lucy : j'avais l'air stupide avec mes cheveux noirs. Si au moins j'avais teint mes sourcils aussi, cela aurait peut-être été moins raté.

Mais je ne l'avais pas fait pour suivre un quelconque diktat de la mode. Je l'avais fait pour dire adieu à Samantha Madison, la rouquine qui a sauvé la vie du président des États-Unis, et bonjour à Sam, la fille qui dessine d'après modèle vivant et risque de perdre bientôt sa virginité.

Bien sûr, que j'aie teint mes cheveux AVANT mon premier cours d'après modèle vivant et que je décide ensuite de coucher avec David (enfin, peut-être) symbolisait la distance parcourue depuis ma période rousse d'avant teinture.

— J'espère que tu vas dire au président qu'à Adams Prep, on est tous ravis de le recevoir et qu'on le soutient à cent pour cent dans sa volonté de promouvoir le « retour aux valeurs familiales », a déclaré Kris, ignorant délibérément mes cheveux. La famille, c'est quand même ce qu'il y a de plus important, non ?

— Oui, ai-je répondu. Qui n'est pas pro-famille ?

C'est ce que j'ai dit, quand dans ma tête, ce que je voulais rétorquer à Kris Park, c'est : *Disparais de ma vue, tu veux bien ?*

— Ça t'intéresserait peut-être d'assister à une réunion du Droit Chemin ?

Kris a jeté un coup d'œil à Catherine, comme si elle venait de remarquer sa présence, et a ajouté :

— Ton amie peut venir aussi, bien sûr.

Kris connaît parfaitement le nom de Catherine, mais il fallait juste qu'elle exprime ce qu'elle est au fond d'elle-même : une vipère.

Ce qu'elle a illustré à nouveau quelques secondes

plus tard en soufflant, sur le passage d'une fille qui sortait du cours de danse, en jupette rose :

— Au fait, vous êtes au courant pour Debra Mullins ? Il paraît qu'elle l'a fait avec Jeff Rothberg, la semaine dernière, après le match. Quelle nympho, cette fille !

Puis, elle s'est tournée vers moi et m'a demandé :

— Alors, c'est O.K. pour lundi, au gymnase ?

— Oui. Tu peux compter sur Catherine et moi, ai-je répondu, histoire de me débarrasser de Kris.

Ça a marché. Elle s'est éloignée et s'est commandé un double cheeseburger.

— Qu'est-ce que je peux détester cette fille, a déclaré Catherine.

— Et moi donc.

— Non, mais moi, je la déteste *vraiment*.

— On est deux alors.

— Sauf qu'elle te lèche les bottes, à toi. Tout ça à cause de David. Jamais elle ne dirait de toi que tu es une nympho, si David et toi, vous... vous le faisiez et qu'elle l'apprenne. Mais bon, ce n'est pas demain la veille, n'est-ce pas ! a ajouté Catherine avec un grand éclat de rire.

Je ne savais pas ce qui n'était pas « demain la veille » pour Catherine : que David et moi, on couche ensemble ou que Kris l'apprenne ? Quoi qu'il en soit, il était hors de question que je lui confie que sa première interrogation était plus imminente qu'elle ne l'imaginait. Non pas parce que je ne la pensais pas digne de garder un secret. Catherine est ma meilleure amie, et je lui confierais ma vie.

C'est juste que je n'étais pas encore sûre de ce que j'allais faire. Au sujet de Thanksgiving, je veux dire. Je n'avais pas encore eu l'occasion d'annoncer à David que mes parents étaient d'accord.

J'avoue que je ne m'en étais pas encore tout à fait remise. Qu'ils aient accepté. En tout cas, c'est clair qu'ils n'avaient pas réfléchi. Ils étaient trop préoccupés par les mauvais résultats scolaires de Lucy. Ils ne pourraient pas faire un peu attention à MOI, de temps en temps ? Mais non, comme d'habitude, la cadette de la famille Madison passait au second plan.

Cela dit, je ne pouvais pas NON PLUS reprocher à Lucy qu'ils aient accepté. Pour mes parents, je suis La Bonne Fille. Celle qui, d'accord, se teint les cheveux en noir mais qui n'hésite pas à se jeter sur un inconnu pour sauver le président. On ne se fait pas de souci pour ce genre d'enfant. Un enfant comme ÇA ne ferait jamais de bêtises, comme coucher avec son petit ami le week-end de Thanksgiving.

Quelle belle leçon pour mes parents si je me retrouvais mère célibataire !

Pour en revenir à Catherine, je me taisais uniquement pour l'épargner. Elle avait déjà suffisamment à faire, avec sa mère qui lui interdisait d'aller au lycée en pantalon – je parle sérieusement, Catherine doit porter des jupes qui lui descendent jusqu'aux genoux, même en sport –, et les moqueries que cela entraînait. Je n'allais tout de même pas l'accabler d'un nouveau problème en lui confiant que sa meilleure amie envisageait de perdre sa virginité.

De toute façon, ça ne regardait personne d'autre que moi, point final.

— Ouah ! s'est exclamée Dauntra quand j'ai poussé la porte de chez Potomac Video. Tu l'as fait, alors ?

Au début, j'ai eu un moment d'hésitation : de quoi parlait-elle ? Et comment savait-elle que j'avais décidé de coucher avec David ? D'autant plus que je n'avais rien décidé du tout. Pour le moment du moins.

Puis je me suis rappelé mes cheveux.

— Oui, ai-je répondu.

Je dois reconnaître que grâce à sa réaction – qui exprimait l'admiration –, tous les « *Qu'est-ce que tu as fait à tes cheveux ?* » que j'avais entendus jusque-là me sont apparus sous un autre jour. Chez Potomac Video – et chez moi aussi –, je suis considérée comme quelqu'un de plutôt sérieux. J'ai sauvé la vie du président, je n'ai pas besoin de cours particuliers, etc. Bref, je passe pour une fille bien.

C'est-à-dire que je *passais* pour une fille bien jusqu'à ce que je me teigne les cheveux.

Maintenant, j'étais cool. Aussi cool que Dauntra, avec qui je travaille tous les vendredis soir. Sa devise (qu'elle a collée sur la porte de son casier) : *Remets en question l'autorité*. Son film préféré : *Orange mécanique*. Son parti politique : PAS celui du père de David. En fait, l'une des premières choses qu'elle m'ait dites, c'est : « Est-ce que ça ne t'a jamais traversé l'esprit que si tu avais laissé le type tirer, tu nous aurais épargné à tous bien des malheurs ? »

Même si elle le pense, ça m'étonnerait que Dauntra se soit contentée de regarder quelqu'un tirer sur quelqu'un d'autre sans bouger, que ses opinions politiques divergent ou non de celles de la personne visée. Surtout, comme je le lui avais fait remarquer, si on prend en considération le fait que, même si des tonnes de gens désapprouvent le président actuel et sa politique – et, d'après les derniers sondages, ils sont nombreux à le désapprouver –, je connaissais quelqu'un qui l'aimait tendrement, à savoir son fils. L'affection que David portait à son père ne flancherait jamais, quels que soient les points de désaccord qu'il pouvait avoir avec lui durant son mandat de président.

Et pour cette raison – sans parler du fait que je n'avais pas vraiment le choix, je n'avais pas tant agi que réagi –, j'étais contente de ce que j'avais fait.

— Je trouve ça génial ! s'est exclamée Dauntra en

contemplant mes cheveux avec un signe de tête affirmatif.

— C'est vrai ? Tu aimes bien ?

J'ai rangé mon sac à dos dans mon casier. Avant que je quitte la boutique, Stan, le manager du soir, ne manquerait pas de le fouiller. Mon sac, je veux dire, histoire de vérifier que je n'ai volé aucun DVD. C'est comme ça chez Potomac Video. Tous les sacs de tous les employés sont fouillés, qu'on ait la réputation d'être une fille sérieuse ou pas.

Cela dit, certains employés sont en train d'essayer de changer ça.

— J'adore le noir, a repris Dauntra. Ça affine ton visage.

— Ce n'est pas vraiment l'effet que je recherchais, mais merci tout de même.

Dauntra, qui s'est fait une double coloration, noir d'ébène et flamant rose, a tripoté son piercing au sourcil.

— Et tes parents ? Comment ils ont réagi ? Ils ont hurlé ?

— Pas vraiment, ai-je répondu en la suivant derrière le comptoir. Tu sais quoi ? Ils l'ont à peine remarqué.

— Mais qu'est-ce qu'il faut que tu fasses pour attirer leur attention ! Accoucher le soir du bal du lycée ?

J'ai failli m'étrangler en buvant une gorgée du

Coca light que j'avais acheté avant d'arriver. Vu ce qui venait de se passer récemment, accoucher le soir du bal du lycée était tout à fait possible.

— Ha ! Ha ! ai-je fait, oui, ça marcherait probablement, mais en ce moment, ils se préoccupent surtout de Lucy. Elle a eu de très mauvais résultats à son examen blanc.

Dauntra a pris un air de profond dégoût.

— Mais quand les gens vont-ils comprendre que ce genre d'examen ne sert à rien ? Qu'est-ce qu'il prouve, d'ailleurs ? Que tu as bien écouté en classe ? De toute façon, ce n'est pas ça qui va te permettre de t'inscrire dans l'université de ton choix !

Dauntra, que ses parents avaient mise à la porte après l'anniversaire de ses seize ans, et qui a un piercing au sourcil (et un petit ami de vingt ans), étudie le graphisme dans un lycée professionnel. Elle vient de larguer son petit copain mais a gardé son piercing et a décidé qu'elle ne passerait pas son examen blanc. Dauntra est comme ça. Elle a des opinions très arrêtées. En fait, Dauntra et Jack ont plein de points communs.

— Qu'est-ce que tes parents ont décidé ? a-t-elle repris. Au sujet de ta sœur.

— Oh ! Ils vont lui faire donner des cours particuliers et l'ont menacée d'interrompre ses entraînements de pompom girl. Pour avoir plus de temps pour travailler.

— Typique, a fait Dauntra. Je veux dire qu'ils fassent comme si les notes comptaient. Mais si ça signifie que ta sœur passera moins de temps en mini-jupe à saper la cause des féministes, ce n'est pas plus mal.

— Tout à fait.

J'hésitais à lui demander ce que je devais faire, selon elle, par rapport à David et à cette histoire de Thanksgiving. Dauntra a évidemment bien plus d'expérience que moi – et que Lucy probablement aussi. Du coup, ses conseils pourraient m'être précieux.

Sauf que je ne voyais pas du tout comment aborder le sujet. Je n'allais tout de même pas lui dire quelque chose comme : « Hé, au fait, Dauntra, tu sais quoi ? Mon petit copain m'a invitée à passer le week-end de Thanksgiving à Camp David. Tu imagines pourquoi. À ton avis, je lui dis oui ou non ? »

Bref, comme je n'arrivais pas à me décider, je lui ai demandé, à la place, où on en était du combat contre la fouille systématique de nos sacs à dos.

— Au point mort, a répondu Dauntra en jetant un coup d'œil mauvais en direction de Stan. Il m'a dit que, si je n'étais pas contente, je pouvais aller me chercher du travail chez McDonald.

Pour Dauntra, la politique chez Potomac Video, qui veut que chaque manager passe en revue les sacs de ses employés avant de les laisser repartir le soir, est anticonstitutionnelle. J'ai posé la question à ma mère et elle m'a répondu qu'en principe il avait le droit de le faire. Dauntra a refusé de me croire quand je le lui ai dit, mais ça lui a fait plaisir que je m'y intéresse. Je connais des personnes – bon d'accord, Kris Park, pour être franche – qui font semblant de s'intéresser à certains sujets parce que ça fait bien sur leur curriculum vitae.

— J'ai envisagé de verser du miel liquide dans mon sac à dos pour que Stan s'en mette plein les mains quand il le fouillerait ce soir, et puis, j'ai réfléchi et je suis arrivée à la conclusion que c'était idiot de fiche en l'air un sac tout neuf, pas vrai ?

— Oui, sans compter que ce n'est pas vraiment la faute de Stan. Il fait son boulot, après tout.

Dauntra a plissé les yeux.

— Hum, hum, c'est ce que disaient les soldats allemands pour assurer leur défense après la Seconde Guerre mondiale.

Personnellement, je ne pense pas que fouiller le sac à dos de quelqu'un pour voir s'il a volé des DVD soit comparable au fait d'avoir tué sept millions de personnes, mais je ne sais pas pourquoi, je me suis dit que Dauntra n'apprécierait pas.

— Au fait, c'était comment ton nouveau cours de dessin ? m'a-t-elle demandé en changeant brusquement de sujet.

— Heu... surprenant. Tu sais ce que ça veut dire « d'après modèle vivant » ?

Sans prendre la peine de lever les yeux du manga qu'elle venait de poser sur le comptoir, elle m'a répondu :

— Évidemment.

— Oh..., ai-je fait, légèrement déçue. Pas moi. Du coup, j'ai vu pour la première fois le... tu vois ce que je veux dire.

Cette fois, elle a relevé la tête de son magazine.

— Le modèle qui posait était un HOMME ? Je pensais que c'était toujours des femmes ?

— Eh bien, ce n'est pas toujours le cas, apparemment.

— Quand je pense que l'autre jour, dans le métro, un type a baissé son pantalon devant moi. Gratuitement. J'ai même dû appeler les flics. Dire que ta Susan Boone paie un type pour le faire !

— Oui.

Dauntra a secoué la tête, l'air de ne pas y croire.

— Est-ce que tu t'es sentie violée ? Parce que moi, chaque fois qu'un type me montre son truc sans que je le lui aie demandé, c'est la sensation que ça me fait, d'être violée.

— Ça ne s'est pas passé comme ça, ai-je dit. C'était... de l'art.

— De l'art ? a répété Dauntra. Ben voyons. Je

n'en reviens pas qu'un type se fasse payer pour montrer son machin et qu'on appelle ça de l'art.

— Ce n'est pas qu'il montre son machin comme tu dis qui est de l'art, mais le dessin qu'on en fait.

Dauntra a lâché un soupir.

— Peut-être que je devrais poser pour gagner ma vie...

— Mais nue, lui ai-je rappelé.

— Et alors ? Le corps humain, c'est beau.

— Excusez-moi ? nous a interrompues un jeune homme coiffé d'un béret. J'ai téléphoné pour faire mettre de côté un film. Mon nom est Wade, W-A-D...

— Oui, il est ici, me suis-je empressée de répondre parce que, même si je ne travaillais chez Potomac Video que depuis deux mois, je savais que si l'on ne se débarrassait pas très vite de M. Wade, il pouvait passer des heures à parler de sa collection de DVD, qui est considérable, et essentiellement composée de films en noir et blanc.

— Ah, c'est ça, s'est-il exclamé quand j'ai sorti son DVD de l'étagère. *Les Quatre Cents Coups.* Vous l'avez vu, bien sûr ?

— Bien sûr, ai-je dit, même si je ne voyais pas du tout de quoi il parlait. Ça vous fera quatorze dollars et soixante-dix neuf cents.

— C'est l'un des meilleurs films de Truffaut. Je l'ai en VHS, évidemment, mais c'est le genre de films dont on n'a jamais assez de copies car...

— Merci, l'ai-je coupé tout en glissant le DVD dans un sac que je lui ai tendu.

— Il s'agit d'un très grand film, a continué M. Wade. Un chef-d'œuvre qui…

— Au fait, il était beau, ton homme nu ? m'a brusquement demandé Dauntra d'une voix innocente.

M. Wade a frémi et a attrapé son sac avant de sortir en vitesse de la boutique.

— À bientôt ! lui a lancé Dauntra.

On était pliées en deux et on riait encore quand Stan s'est approché de nous et nous a observées avec méfiance.

— Que se passe-t-il ?

— Rien, rien, ai-je répondu en m'essuyant les yeux.

— M. Wade était tellement content d'avoir son DVD qu'il s'est dépêché de rentrer chez lui pour le regarder, a ajouté Dauntra d'une voix des plus convaincantes.

Stan nous a toisées. Rien qu'à l'expression de son visage, j'ai su qu'il ne croyait pas un mot de ce qu'on venait de lui raconter.

— Madison, a-t-il dit, des fans de dessins animés sont passés dans l'après-midi et ont déplacé tous les *Neon Genesis Evangelions.* Va me remettre de l'ordre là-bas.

J'ai acquiescé d'un hochement de tête et j'ai

contourné le comptoir pour me diriger vers la section « dessins animés ».

Un peu plus tard, dans la soirée, après la pause-sandwich, j'ai sorti le dossier que le porte-parole de la Maison Blanche m'avait donné pour que je prépare mon discours et j'ai commencé à l'étudier. Dauntra, elle, lisait un autre manga.

— C'est quoi ? m'a-t-elle demandé.

— Les trucs que je vais devoir dire sur MTV la semaine prochaine.

— Tu veux parler du stupide « retour aux valeurs familiales » ? Attends, c'est complètement crétin, ce truc !

— Ce n'est pas crétin, ai-je corrigé. C'est très important.

— C'est ça, oui, a fait Dauntra. Dis-moi, Sam, ça te plaît d'être exploitée de la sorte ?

— Exploitée ? Je ne comprends pas.

— Eh bien, le président t'exploite pour servir à la jeunesse américaine son nouveau programme fasciste.

— Le « retour aux valeurs familiales » n'a rien de fasciste, Dauntra. L'idée à la base est d'encourager les familles à passer plus de temps ensemble. Par exemple, en renonçant à un entraînement de foot ou à une soirée télé pour s'asseoir autour d'une table et parler.

— Tu sais quoi ? Ton truc, ça ne marchera qu'en surface.

— Absolument pas ! me suis-je exclamée en agitant les feuilles que je tenais sous ses yeux. C'est écrit ici : *Le « retour aux valeurs familiales » que préconise le président a pour but...*

— ... d'encourager les gens à ne pas passer la soirée à regarder un feuilleton débile à la télé pour se parler, a fini Dauntra à ma place. Je sais. Sauf que c'est la seule partie de leur « retour aux valeurs familiales » qu'ils présentent. Et le reste ? Toutes les autres parties dont ils préfèrent ne pas nous parler ?

— Tu sais quoi ? Tu es parano, Dauntra, ai-je déclaré. Tu as trop regardé ce film avec Mel Gibson.

Complots est l'un de nos films préférés à la boutique. On adore le regarder. Stan, lui, le déteste, parce que chaque fois que Mel et Julia s'embrassent ou s'apprêtent à le faire, Dauntra et moi, on est scotchées à l'écran.

— Justement ? Est-ce qu'il n'a pas raison ? a fait Dauntra. Mel, je veux dire. Il y avait bel et bien un complot.

Elle a jeté un coup d'œil au miroir à deux faces qui nous séparait de l'arrière-boutique. Grâce à ce miroir, Stan peut observer les clients et les éventuels voleurs. Mais Dauntra est convaincue qu'il sert essentiellement à surveiller les employés.

— Ce n'est jamais bon signe quand le gouvernement se met à fourrer son nez dans nos histoires personnelles, comme savoir combien de temps on passe en famille. Tu peux me faire confiance là-dessus.

Je suis retournée à ma lecture avec un soupir. J'adore Dauntra, mais parfois j'ai l'impression qu'elle... qu'elle n'est pas là, si vous voyez ce que je veux dire. N'a-t-elle vraiment rien d'autre à faire que se prendre la tête avec le gouvernement quand il y a tant de vrais problèmes dans le monde ? Comme mon petit ami, par exemple, qui pense qu'on va coucher ensemble le week-end de Thanksgiving.

J'ai hésité à nouveau à lui demander son avis – sur David et moi –, et puis je me suis dit que de toute façon, elle m'encouragerait à le faire. En même temps, si je lui en parlais, cela ternirait mon image de fille sérieuse, une image qui semblait me coller à la peau, même avec ma nouvelle couleur de cheveux.

En parler à ma sœur était une chose, en parler à mes collègues de chez Potomac Video en était une autre. Ce n'est pas parce que je suis, comme eux, une fan de *Complot*, que je crois obligatoirement aux complots... du genre, Dauntra dans la peau d'une espionne de *Us Weekly* à l'affût du moindre détail de ma vie avec le fils du président des États-Unis.

Mais bon. Dauntra avait peut-être raison sur une chose : il vaut mieux ne pas laisser le gouvernement – ou vos collègues de chez Potomac Video – se mêler de vos affaires. Il est préférable de rester discret sur certains sujets.

Du moins, c'est ce que je pensais alors. Vous savez quoi ? C'est fou comme on peut changer d'avis aussi rapidement sur ce genre de chose.

Palmarès des dix meilleurs films par les employés de chez Potomac Video

10. *Fight Club* : Un homme ayant perdu toutes ses illusions rencontre un étranger qui lui fait découvrir une autre façon de vivre. Brad Pitt, Edward Norton, 1999. Le torse nu de Brad, les désillusions et d'énormes explosions. Que peut-on demander de plus ?

9. *Ne tirez pas sur l'oiseau moqueur* : Un avocat pendant la Grande Dépression dans le sud des États-Unis défend un Noir injustement accusé de viol et apprend à son fils et à sa fille à ne pas avoir de préjugés. Gregory Peck, Mary Badham, 1962. Deux mots : Boo Radley. Est-ce nécessaire d'en dire plus ? Je ne pense pas.

8. *Fatal Games* : Une fille appréciée de tous dans

son lycée sympathise avec une rebelle qui lui montre comment donner une leçon aux snobinardes de leur bahut. Christian Slater, Winona Ryder, 1989. Quiconque essaie de dire que ça ne se passe pas comme ça dans les vrais lycées est un menteur.

7. *Donnie Darko* : Un lycéen est hanté par des visions d'un lapin géant. Jake Gyllenhall, Patrick Swayze, 2001. O.K., je n'ai pas tout compris, mais j'adore.

6. *Napoléon Dynamite* : Un lycéen un peu ringard aide un nouveau à devenir délégué tout en faisant la cour à la fille de ses rêves. Jon Heder, Efren Ramirez, 2004. Meilleure chorégraphie de tous les temps.

5. *Saved !* : Une fille dans un camp de vacances religieux est l'objet d'un fort ostracisme de la part de ses camarades. Jean Malone, Mandy Moore, 2004. Ce film entretient des liens très étroits avec *Camp* de Todd Graff, mais pour le fun seulement.

4. *Dogam* : Deux anges renégats tentent de retourner au paradis. Linda Fiorentino, Matt Damon, 1999. Alanis Morissette joue Dieu. On n'a

jamais fait preuve d'autant de pertinence dans le choix d'une actrice pour interpréter un rôle.

3. *La secrétaire* : Une secrétaire a une aventure peu orthodoxe avec son patron. Maggie Gyllenhaal, James Spader, 2002. Film assez dérangeant.

2. *I'm the One That I Want* : le one-woman-show de la comique Margaret Cho de 1999. Margaret Cho, 2000. Devrait probablement être vu par tous les êtres humains.

Mais mon film préféré, c'est quand même :

1. *Kill Bill 1 et 2* : Laissée pour morte après un massacre dans une chapelle où avait lieu son mariage, une tueuse à gages cherche à se venger. Uma Thurman, David Carradine, 2003-2004. Pourquoi des réalisateurs se donnent-ils la peine de faire des films après *Kill Bill* ? *Kill Bill* a tout ce qu'un bon film doit avoir. En fait, il est inutile de voir autre chose.

5

Quand je suis rentrée à la maison, ce soir-là, j'ai cru un moment m'être trompée d'adresse tellement ce qui s'y passait était déroutant. J'ai même failli ressortir. Pour dire à quel point ce que je voyais me troublait.

Lucy était assise à la table de la salle à manger, plusieurs livres étalés devant elle.

Un vendredi soir. J'ai bien dit un VENDREDI SOIR. Lucy n'est JAMAIS à la maison le vendredi soir. Jusqu'à il y a quelques semaines, soit elle participait à un match soit elle sortait avec Jack, et depuis un mois, bien sûr, elle travaillait chez Mes Dessous Préférés.

Mais ce soir, elle révisait une liste de mots et d'expressions que tout élève de dernière année doit connaître avec... – et c'est ça qui m'a fait penser que je m'étais trompée de maison, de sœur, de tout – Harold Minsky.

Il y a des tas d'endroits où j'aurais pu m'attendre à croiser Harold Minsky. Chez Potomac Video, par exemple, au rayon dessins animés, celui-là même que je venais de réorganiser pendant une heure. Ou bien devant les livres de science-fiction de la bibliothèque du lycée. Mais surtout dans la salle informatique, depuis que le prof, M. Andrews, l'a pris comme assistant.

Je n'aurais pas été étonnée non plus de le voir du côté des mangas de la librairie Barnes et Noble, ou devant chez Beltway Billiards, la salle de jeux d'arcade, où il passe des heures avec ses copains à essayer de battre leur record à *Arcade Legends*.

Mais jamais au grand jamais je n'aurais pensé voir un jour Harold Minsky chez moi, et encore moins assis en face de ma sœur, à notre table de salle à manger.

— *Badine*, disait ma sœur d'un air songeur au moment où j'entrais dans la pièce. Tu veux parler d'une baguette qu'on tient à la main ?

— Non, a répondu Harold d'une voix lasse. Dans le cas présent, il s'agit d'un adjectif.

— Ah..., a fait Lucy en levant les yeux vers le plafond comme si elle s'attendait à ce que la fée du vocabulaire apparaisse brusquement, assise sur le lustre, et lui vienne en aide.

Mais en guise de fée, c'est moi qu'elle a vue, dans l'encadrement de la porte, bouche bée.

— Salut, Sam, a-t-elle lancé. Tu connais Harold ? Harold, je te présente ma sœur Samantha. Samantha, voici Harold. Tu sais, Harold... du lycée.

Oui, je savais qui était Harold. On partage le même ordinateur en informatique.

— Salut, Harold, ai-je marmonné.

Harold m'a fait signe (comment ses parents ont-ils pu l'affubler du prénom de Harold ?), puis il s'est tourné à nouveau vers Lucy. À quoi pensaient-ils ? Ne savaient-ils pas qu'appeler un enfant Harold était la garantie que leur fils aurait tout ce qui va avec ce nom : des lunettes, une touffe de cheveux jaunâtres qui avaient besoin d'une bonne coupe, une allure dégindandée, un corps qui avait poussé de dix centimètres au cours de l'été précédent, faisant de Harold le garçon le plus grand du lycée sans qu'il appartienne pour autant à l'équipe de base-ball, une chemise hawaiienne orange dont l'arrière ressortait de son Levi's trop court ?

— Allez, Lucy, a-t-il sur un ton très sérieux qu'aucun garçon, je suis sûr, n'avait jamais employé pour s'adresser à ma sœur. Tu connais ce mot, on vient de le voir.

— *Badine*, a répété Lucy, sagement, avant de se tourner vers moi et d'ajouter : Au fait, Sam, j'ai le truc pour toi. Tu sais, ce dont on a parlé l'autre soir. C'est sur ton lit.

Dans un premier temps, je ne voyais pas du tout à quoi elle faisait allusion. Puis, quand elle m'a fait un clin d'œil, j'ai compris. Et j'ai piqué un fard.

Heureusement, Harold était trop occupé à faire dire à ma sœur le sens du mot *badine* (définition donnée par les annales : qui aime à rire, à plaisanter) pour me prêter attention.

— Lucy ! a lâché Harold. Si tu ne t'appliques pas plus, ça ne sert à rien de me faire perdre mon temps et de faire perdre de l'argent à tes parents !

— Non, non, attends. Je le connais, je te promets. *Badine*... Ça ne veut pas dire « heureuse » ? Comme dans « La victoire de l'équipe de football l'a rendue badine » ?

Il valait mieux que je parte.

Pour me rendre dans ma chambre, je devais traverser le salon. Mes parents étaient assis tous les deux dans le canapé et faisaient mine de lire, mais je savais qu'ils écoutaient Lucy et son nouveau professeur particulier.

— Bonsoir, chérie ! a lancé ma mère en me voyant. Ça s'est bien passé chez Potomac Video ?

— Comme d'habitude, ai-je répondu, tête baissée pour qu'elle ne remarque pas mes joues en feu. Harold va venir souvent ?

— C'est la première fois, ce soir. J'ai appelé le

lycée et ils m'ont dit que Harold Minsky était le meilleur tuteur qu'on pouvait trouver pour préparer ta sœur à son examen. Tu le connais ? Tu crois qu'il va pouvoir aider Lucy ?

— Eh bien... si quelqu'un en est capable, ça ne peut être que lui.

— Il paraît qu'il a toutes ses chances pour Harvard. Et pour toutes les grandes universités du pays également.

— Oui. Ça ne m'étonne pas.

— J'aurais préféré une fille, a continué ma mère en prenant soin de baisser la voix. Pour éviter toute complication... romantique. Tu sais comment sont les garçons avec ta sœur. Mais quand j'ai vu comment Harold s'y prenait avec Lucy, je n'ai plus eu aucune crainte. Il est parfait. Il donne même l'impression de ne pas s'apercevoir de... de qui il a en face de lui.

C'était gentil de la part de ma mère de ne pas dire tout fort ce qu'on pense tous : que Lucy est super belle et que tous les garçons qui la croisent dans la rue ont aussitôt le coup de foudre et parfois la suivent avec un morceau de papier sur lequel ils ont griffonné leur numéro de téléphone, morceau de papier que Lucy prend poliment avant de le jeter dans la poubelle de sa chambre quand elle vide son sac tous les soirs.

— Hum, hum, ai-je fait. Typique de Harold. Il n'est pas très branché « monde extérieur ».

Ou filles. À moins qu'elles ne s'appellent Lara Croft et vivent dans une Playstation.

— Je me fiche pas mal qu'il tombe amoureux de Lucy, est intervenu mon père tout en tournant la page de son journal. Qu'il l'aide à avoir son examen, le reste m'est égal.

— Richard, ne parle pas si fort ! a grondé ma mère. Au fait, Sam, David a téléphoné pendant que tu travaillais. Il faut que tu le rappelles.

— Oui, oui. Super.

Sauf que je ne le pensais pas. En fait, c'était même le contraire que je pensais. Parce que je savais pourquoi David avait téléphoné. Pour savoir ce que maman et papa avaient décidé. Pour savoir si oui ou non, on allait passer le week-end de Thanksgiving à jouer au *parcheesi.*

Vous savez quoi ? Je n'ai jamais été très fan des jeux de société.

Et si je disais non, comment réagirait David ? Est-ce qu'il me quitterait ?

Non. David n'est pas comme ça. D'abord parce que c'est un intello et que les intellos ne larguent pas leur copine sous prétexte qu'elles ne veulent pas le faire, comme c'est la pratique chez les sportifs. Du moins, à ce qu'il paraît, n'étant pas personnellement en relation avec un sportif.

L'autre raison qui me fait dire que jamais David ne ferait une chose pareille, c'est qu'il m'aime. Je sais qu'il m'aime à la façon dont il se moque de mes cheveux pour m'embrasser dans le cou l'instant d'après, et me souffler à l'oreille que je suis super sexy avec mon nouveau tee-shirt Nike. Je le sais aussi parce que je suis la dernière personne à qui il parle le soir avant de se coucher (il n'oublie jamais de m'appeler sur mon portable, et si je dors déjà ou que je fais semblant de dormir comme la nuit dernière, il me laisse un message) et que je suis la première personne à qui il parle le matin (cela dit, je ne réponds pas toujours, parce que le matin, je ne suis jamais tout à fait réveillée avant d'avoir bu plusieurs cafés).

Par ailleurs, David ne m'appelle pas parce qu'il sent qu'il doit le faire sinon je risquerais de rompre, comme Lucy avec Jack, non, il m'appelle parce qu'il en a envie.

Bref, jamais David ne me quitterait si je lui disais que je ne suis pas prête. Il m'aime trop pour ça. Il attendrait.

Enfin, j'espère.

Sans compter que, s'il *me* quittait, les journalistes ne feraient qu'une bouchée de lui. Je ne voudrais pas me vanter, mais je suis un peu la chouchoute des Américains depuis que j'ai sauvé la vie du président.

Mais c'était avant que je me teigne les cheveux. Qui sait comment Margery de Poughkeepsie, dans l'État de New York, allait réagir quand elle découvrirait que je suis devenue un clone d'Ashlee Simpson ?

— Ce « retour aux valeurs familiales » est une bonne chose, a déclaré tout à coup ma mère en me dérangeant dans mes méditations sur ma vie sexuelle – ou plutôt mon absence de vie sexuelle. J'aime beaucoup cette idée. Parfois, j'ai l'impression de ne pas vous voir assez. Vous êtes tellement occupées, toutes les trois.

Je l'ai dévisagée, sous le choc.

— La faute à qui ? ai-je pratiquement hurlé. Je te rappelle que JE ne tenais pas particulièrement à prendre un boulot à mi-temps !

Mon père a de nouveau abaissé son journal.

— C'est important que vous autres, les jeunes, appreniez la valeur d'un dollar...

— Oui, oui, l'ai-je coupé, la valeur d'un dollar. Je sais.

Comme si on trouvait encore des choses à un dollar !

— En parlant de travail, Lucy a changé ses horaires ? Comment se fait-il qu'elle soit à la maison si tôt ? D'habitude elle ne rentre pas avant dix heures de la galerie marchande.

J'ai remarqué à ce moment-là le coup d'œil que mes parents ont échangé.

— Eh bien..., a commencé ma mère, nous avons décidé qu'étant donné ses résultats, ta sœur avait besoin de passer plus de temps à ses devoirs et moins à sa vie sociale et professionnelle.

Je n'ai pas compris tout de suite ce que cela signifiait, mais quand ça a été clair dans ma tête, j'ai ouvert grand la bouche et je me suis écriée :

— Elle ne travaille plus dans sa boutique de lingerie parce qu'elle a raté son examen blanc ? Ce n'est pas juste !

— Doucement, a fait ma mère en tournant la tête du côté de la salle à manger. Lucy est très triste d'avoir dû démissionner de chez Mes Dessous Préférés. Tu sais comme elle tenait à sa réduction accordée aux employés.

— Bref, si je n'ai pas de bonnes notes, je peux arrêter de travailler chez Potomac Video ?

— Sam ! Ne dis pas des choses pareilles ! s'est exclamée ma mère avec un regard plein de reproches. Tu adores ton travail. Tu parles tout le temps de ton amie Donna et à quel point elle est sympathique...

— Dauntra.

— Dauntra, si tu veux. Par ailleurs, tu sais et tu as toujours su te débrouiller malgré un emploi du temps chargé, ce qui n'est pas le cas de ta sœur.

— Estime-toi heureuse sinon on te désinscrit de tes cours de dessin comme on l'a fait avec ta sœur pour son entraînement de pompom girl, m'a prévenue mon père avant de reprendre la lecture de son journal.

J'ai dévisagé mon père. Je n'en revenais pas.

— Ça y est, alors ? Vous l'avez obligée à renoncer aux entraînements des pompom girls ?

— C'est plus important de réussir son examen de fin d'études que de soutenir une équipe de football, a déclaré mon père qui, d'après ce que j'en savais, avait eu une scolarité semblable à... à celle de Harold, finalement.

— Disons qu'elle fait une pause, a ajouté ma mère. Si ses notes s'améliorent, elle pourra reprendre son entraînement. On en a parlé avec son prof de gym. Elle comprend tout à fait que cela faisait trop. Trop d'entraînement, trop de devoirs.

— Ce ne serait pas trop si une certaine personne ne passait pas chaque minute de ses week-ends avec elle, a lâché mon père, de derrière son journal.

— Richard ! a fait ma mère. J'ai vu les Ryder. Il sont d'accord pour dire un mot à Jack.

— J'espère qu'il ne tombera pas dans l'oreille d'un sourd, a fait observer mon père tout en poursuivant sa lecture. Ce garçon n'écoute rien de...

— Richard ! s'est exclamée ma mère.

Je suis partie à ce moment-là. Ce n'est jamais très agréable d'entendre mes parents se disputer au sujet du petit ami de Lucy. Ce qu'ils font presque chaque fois que son nom est cité dans la conversation. Non qu'ils ne partagent pas la même opinion le concernant. Au contraire. Ils le détestent, mais ils ne sont pas d'accord sur la façon de gérer la situation. Ma mère pense que, s'ils cherchent à détruire leur relation, cela ne fera que renforcer l'affection de Lucy pour Jack – un peu comme avec Hellboy et Liz ; dès qu'on empêche Hellboy de voir Liz, quand elle se réfugie à l'hôpital psychiatrique, il ne l'en aime que davantage. Mon père, lui, pense qu'ils devraient tout simplement interdire à Lucy de voir Jack, un point c'est tout.

Ce qui explique pourquoi Jack et Lucy continuent de se fréquenter. Parce que tout le monde sait (sauf mon père) que dire à sa fille qu'elle n'a plus le droit de sortir avec son petit copain fait qu'elle a encore plus envie de sortir avec lui.

C'est là un autre point qui rend la vie de Lucy nettement supérieure à la mienne. Elle sort avec un garçon que mes parents n'apprécient pas ou en qui ils n'ont pas confiance, et du coup, ils se rongent les sangs pour elle sans arrêt. MOI ? Ils ne se font JAMAIS de souci pour moi. C'est vrai. À part un tout petit épisode l'an dernier où je me suis fait attraper à cause d'une mauvaise moyenne en allemand, pas le moindre problème n'est venu perturber nos relations.

Quelle chance a Lucy !

Cela dit, quand on y réfléchit bien, sa chance s'est légèrement émoussée – du moins en ce qui concerne son entraînement de pompom girl. O.K., cela n'a pas vraiment bonne presse auprès des féministes, mais Lucy adorait y aller.

En même temps, elle n'avait pas l'air si malheureuse que ça de devoir travailler à la place avec ce vieux Harold. Par contre, s'il y avait bien une chose qui allait lui manquer, si maman et papa maintenaient leur décision, c'était de ne plus voir Jack... À propos, où était-il ? Comment se faisait-il qu'il ne frappe pas à la porte comme un malade pour la voir ? Est-ce que M. et Mme Ryder avaient déjà parlé avec lui, comme maman avait dit qu'ils le feraient ?

Mais Jack, en tant que rebelle, n'était pas du genre à accepter de ne plus voir sa petite amie parce qu'elle avait des difficultés à l'école. En fait, depuis qu'il avait commencé ses cours dans son école de design, Jack n'avait jamais autant joué à l'artiste maudit, juché sur sa moto toute neuve. Sauf que mes parents avaient formellement interdit à Lucy de monter dessus, même si Jack lui avait acheté un casque (elle lui a un peu fait la tête, parce qu'elle aurait préféré un casque rose. Et puis, elle s'est plainte, sous prétexte qu'il lui aplatissait les cheveux). Mais ça n'empêchait pas Jack de venir faire ronfler le moteur de sa moto quand il venait voir Lucy.

En parlant de moto, je ne l'avais pas entendu ronfler depuis un moment. Que se passait-il ? J'allais devoir interroger Lucy dès que Harold serait parti.

En attendant, le paquet dont Lucy m'avait parlé m'attendait sur mon lit, exactement là où elle m'avait dit l'avoir laissé. J'ai jeté un coup d'œil à l'intérieur du sac en papier kraft et j'en ai sorti une petite boîte, enveloppée d'un papier cadeau sur lequel on pouvait lire : « Pour son plaisir à elle. »

Oh, mon Dieu !

Ma sœur m'avait vraiment acheté une boîte de préservatifs !

J'ai remis en vitesse la boîte dans le sac en papier et le sac sous mon lit.

Je n'étais pas prête, moi ! PAS PRÊTE DU TOUT.

C'est vrai, quoi. Parce que ce que ça voulait dire, c'est que moi, Samantha Madison, j'allais le faire. J'allais vraiment COUCHER avec mon petit copain.

Je ne pouvais pas m'empêcher de penser à cette fille dont Kris Park s'était moquée. Debra, je crois. Debra avait couché avec son petit copain. Enfin, d'après ce que racontait Kris. Si David et moi, on le faisait et que ça se sache, comme pour Debra, est-ce qu'elle me traiterait aussi de nympho ?

Probablement.

En même temps, ce ne serait pas pire que toutes les autres expressions dont on m'avait DÉJÀ affublée : freak, gothique, adepte de Satan, punky, barjo, etc.

Le problème, c'est que cette fois, ça ne se limiterait pas qu'au lycée. Grâce à mon étonnante capacité à être vue en photo dans les magazines (bon d'accord, dans la rubrique « Ce qu'il ne faut pas porter », mais bon), ma vie sexuelle ferait le tour de tous les tabloïds du pays. Attention, je ne suis pas en train de dire que j'ai déjà contacté toutes les rédactions pour leur expliquer que j'étais encore vierge ou quoi que ce soit. Mais vous voyez ce que je veux dire. Et puis, ce serait gênant si grand-mère tombait dessus...

C'est à ce moment-là que Lucy est entrée dans ma chambre, sans frapper évidemment.

— Hé ! a-t-elle lancé, manifestement essoufflée d'avoir dû monter les marches en courant. Je peux t'emprunter ta calculatrice ?

— Qu'est-ce que tu as fait de la tienne ?

— Je l'ai prêtée à Tiffany la dernière fois qu'on a mangé chez Ruby Tuesday et qu'on cherchait à savoir combien on devait laisser de pourboire, et elle a oublié de me la rendre. Allez, tu peux bien me prêter la tienne ! C'est juste pour ce soir. Je récupérerai la mienne demain.

Je lui ai tendu ma calculatrice. Après tout, c'était la moindre des choses, vu le CADEAU qu'elle m'avait fait.

— Merci ! a-t-elle dit en s'apprêtant à repartir.

— Attends !

Merci pour les préservatifs. Voilà ce que *j'aurais* aimé lui dire. Mais à la place, je me suis entendue lui demander :

— Alors ? Comment ça se passe avec Harold ?

— Oh, a fait Lucy en lissant une mèche de ses cheveux blond vénitien. Bien. D'après Harold, ce n'est pas parce que je suis stupide que j'ai raté mon examen blanc, mais parce que je souffre d'une phobie des examens.

— Ah bon ?

— Hum, hum. Il m'a dit que si je m'appliquais, je pouvais le réussir sans problème, et même avoir une mention. Il faut juste que je fasse quelques exercices de respiration avant d'entrer dans la salle.

— Ouah ! me suis-je exclamée en me demandant si c'était pour cette raison que Harold donnait toujours l'impression d'avoir besoin d'un inhalateur. Pour faire les exercices de respiration qui lui permettaient d'être le meilleur élève de tout le lycée.

— Eh oui, a repris Lucy. Harold est très sympa, tu sais. Une fois que tu fais abstraction de sa passion pour *Star Trek* et pour *Angel*.

— Je vois. J'ai d'ailleurs toujours bien aimé Harold. Et tu as raison, il est sympa. Par exemple, quand tu plantes ton programme en informatique, il ne te hurle pas dessus comme certains sous prétexte que tu n'as pas fait de copie de sauvegarde.

— C'est adorable. Je ne comprends pas pourquoi il n'a pas plus de succès au bahut et pourquoi je ne l'ai jamais rencontré avant, à une fête ou un match.

— Parce que des garçons comme Harold ne sont pas invités aux fêtes de tes amis.

— Qu'est-ce que tu racontes ? Mes amis ne sont pas sectaires !

J'ai haussé un sourcil. De toute évidence, Lucy venait d'employer un mot faisant partie de sa liste des annales. Harold était vraiment très fort.

— Eh bien... si, ils le sont plus ou moins, ai-je déclaré.

Mais Lucy n'a pas entendu. J'en suis sûre parce qu'elle m'a regardée et a dit :

— Merci pour la calculatrice. Il faut que je redescende. Harold m'attend.

Et elle est partie avant même que j'aie le temps de la remercier pour ce qu'ELLE m'avait offert...

J'en étais là de mes réflexions quand mon téléphone portable a sonné. Je ne m'y attendais tellement pas – il faut dire que je l'ai depuis peu de temps et que je ne m'en sers pas beaucoup – que j'ai poussé un cri.

— Dis donc, Sam, tu pourrais éviter de hurler, a lancé Rebecca depuis sa chambre, au bout du couloir. Je suis en train de disséquer une larve et j'en suis à la phase cruciale.

Ce que j'aurais préféré ne pas savoir.

Tandis que la sonnerie de mon portable continuait de sonner, j'ai vu le nom de David s'afficher sur l'écran. David, à qui je n'avais pas parlé depuis la veille au soir, quand il m'avait embrassée sous le saule pleureur. J'avais en effet ignoré ses deux messages. Bref, je ne pouvais pas faire autrement que lui répondre.

Mais qu'est-ce que j'allais dire ?

— Salut, ai-je fait, ce qui me semblait la meilleure façon de commencer.

— Salut, a répondu David.

Sauf que ce n'était pas un simple « Salut ». En fait, jamais un mot aussi court n'avait traduit autant de choses : le bonheur de David de m'avoir enfin au bout du fil ainsi que sa frustration face au silence que je lui avais imposé au cours de ces dernières vingt-quatre heures, et – je ne pense pas que je me raconte des histoires – son incertitude sur mes sentiments quant à son invitation à « jouer au *parcheesi* » avec lui pendant le week-end de Thanksgiving.

Bref, ça faisait beaucoup pour un seul mot.

— Où étais-tu passée ? m'a-t-il demandé, mais pas du tout sur le ton de la colère. De la curiosité, plutôt. Je t'ai laissé deux messages. Il n'y a rien de grave ?

— Non, non. Je suis désolée. Mais... ça a été un peu la folie ici. Entre mon boulot et mes devoirs pour le bahut...

Alors que je venais de trouver cette piètre excuse, j'ai aperçu le sac en papier contenant le « cadeau » de Lucy qui dépassait de dessous mon lit. Je me suis empressée de le pousser du pied pour qu'il disparaisse complètement sous mon couvre-lit. Ne me demandez pas pourquoi j'ai fait ça. Bien sûr, David n'était pas présent, mais un peu quand même. Enfin, plus ou moins.

— Oui, je comprends, a-t-il répondu. Alors, qu'est-ce qu'ils ont dit ?

L'espace d'une seconde, je vous jure que je ne voyais pas du tout de quoi il parlait.

— Qui ? ai-je fait.

— Tes parents. Pour Thanksgiving.

Tout m'est alors revenu d'un bloc.

— Oh, Thanksgiving ?

Mon Dieu. Il voulait savoir ce que j'avais décidé pour Thanksgiving.

Évidemment qu'il voulait le savoir. Et c'était bien pour ça que je n'avais pas répondu à ses appels. Parce que je savais qu'il voulait connaître ma réponse.

Une réponse que je n'étais pas sûre d'être prête à lui donner.

— Euh..., ai-je commencé en jetant un coup d'œil à Manet qui dormait, comme à son habitude, en travers de mon lit, ignorant complètement que sa maîtresse était dans les affres les plus terribles.

La vie des chiens est tellement plus facile...

— Le problème, c'est que... Je n'ai pas encore eu l'occasion de leur en parler.

Bravo. Je venais de mentir à mon petit ami. Pour la première fois. Enfin, plus ou moins la première fois.

— Oh, a fait David.

Tout comme son « Salut » quelques minutes plus

tôt, ce « Oh » signifiait beaucoup de choses. C'était d'ailleurs moins un « Oh » qu'un « Oh ? ».

Dans quel pétrin m'étais-je mise ?

— C'est... c'est à cause de Lucy, ai-je repris en parlant brusquement à toute vitesse. Elle a raté son examen blanc et du coup mes parents l'ont obligée à arrêter son entraînement de pompom girl et ils lui font donner des cours particuliers à la place. Bref, tu imagines l'ambiance.

— Ouah ! a fait David.

Il donnait l'impression de me croire. Mais après tout, pourquoi ne me croirait-il pas ? ÇA au moins, c'était vrai.

— Elle le prend mal ? a-t-il demandé.

— Assez, oui. D'ailleurs, je ne peux pas trop te parler pour le moment, si tu vois ce que je veux dire.

— Bien sûr.

Pour un garçon qui attendait de savoir si oui ou non il allait coucher avec sa petite amie la semaine suivante, j'avoue que je trouvais David bien calme. C'est vrai, quoi. Dans les livres de Lucy, tous les garçons sont super empressés et disent des trucs comme : « Phillippa... Je te veux. Mon corps brûle de désir pour toi. »

Je ne sentais aucune vibration traduisant un tel désir de la part de David. Mais alors, aucune.

Ce que je pouvais comprendre. Et tant mieux s'il ne plaçait pas ses espoirs trop haut. Parce que, quand on le ferait – si on le faisait –, je ne suis pas sûre de savoir comment m'y prendre.

David non plus, cela dit. Car je sais qu'IL n'a pas plus d'expérience que moi dans CE domaine.

Mais bon. Il est tout à fait possible que JE rate plus de choses que LUI. Je suis du genre maladroite. J'ai à peine la moyenne en E.P.S. (pour être honnête, c'est surtout parce que je n'ai pas l'esprit de compétition que je refuse de participer aux matchs la majeure partie du temps. Franchement, je ne vois pas l'intérêt d'attraper une balle puis de la relancer. Qu'est-ce qu'on en a à faire ? Il ne s'agit que d'une stupide balle, après tout.)

Bref, il ne me restait qu'à faire confiance à mon instinct le MOMENT venu – si moment il y avait, bien sûr – et laisser faire mon corps. Il ne m'avait pas lâchée jusqu'à présent, n'est-ce pas ?

Sauf en gym, quand j'avais dû monter à la corde.

— Écoute, a repris David tout en ne donnant toujours pas l'impression de brûler de désir pour moi. Préviens-moi dès que tu sais. Et pour demain soir, qu'est-ce que tu as décidé ?

Demain soir ? Quoi demain soir ? On était censés faire quelque chose demain soir ?

Ah, oui, c'est vrai. Demain, on était samedi. Mon soir de sortie. Mais où devait-on aller déjà ? Et est-ce que David en profiterait pour en parler ? Du week-end de Thanksgiving, je veux dire. Mais demain, c'était trop tôt ! Jamais je ne pourrais prendre une décision avant demain ! Il fallait encore que je m'habitue à l'idée ! Et puis je ne savais pas, moi ! Je ne savais pas ce que je voulais !

— Demain ? ai-je répété, étonnée par mon calme. Qu'est-ce qui était prévu, déjà ?

— Mon père a ce truc toute la journée au Four Seasons, tu sais au sujet du « retour aux valeurs familiales ». Il espère trouver des appuis auprès de certaines associations et tient à ma présence.

— Oui, je comprends. La famille et tout ça.

— Exactement. Mais tu peux venir, tu sais, si tu en as envie.

— Et me retrouver coincée dans le restaurant d'un hôtel devant un plat surgelé que je n'ai même pas commandé à écouter un des interminables discours de ton père en me disant que peut-être, avec un peu de chance, on pourra s'embrasser plus tard quand tu me ramèneras chez moi. Euh... non merci.

Voilà ce que j'aurais voulu dire. À la place, j'ai répondu :

— Ça a l'air génial, mais j'ai peur d'être prise. En tout cas, amuse-toi bien.

David a éclaté de rire.

— J'étais sûr que tu allais dire ça.

Incroyable ! M'étais-je tirée d'embarras aussi rapidement ? En ce qui concernait Thanksgiving, aussi ?

— Je sais que ça ne doit pas être drôle chez toi,

en ce moment, avec Lucy et tout ça, a continué David, mais pense à m'appeler de temps en temps. Tu me manques.

— Tu me manques aussi, ai-je répondu.

Ce qui n'était pas un mensonge. David me manquait.

— Je t'aime, Sam.

— Je t'aime, David.

Et j'ai raccroché en pensant que j'étais la pire petite amie sur Terre.

Dix raisons qui vous font dire que votre petit ami vous aime vraiment :

10. Il supporte vos sautes d'humeur, même quand elles sont dues au syndrome prémenstruel et que vous l'accusez de préférer Fergie des Black Eyed Peas à vous, alors que vous savez parfaitement qu'il ne l'a jamais rencontrée.

9. Il vous laisse choisir le film quasiment chaque fois.

8. Pareil pour le dessert que vous avez décidé de partager.

7. Il connaît le nom de vos amies et vous demande de leurs nouvelles (cela dit, dans le cas de David, ce n'est pas très difficile étant donné que je n'ai qu'une seule amie).

6. Lorsque vous venez dîner, il s'assure (dans la mesure du possible) que le chef de la Maison Blanche a préparé quelque chose que vous aimez.

5. Il vous téléphone souvent, juste pour savoir ce que vous faites.

4. Il vous trouve belle même quand vous n'êtes pas maquillée.

3. Il vous écoute quand vous vous plaignez et vous propose des solutions pour régler vos problèmes, même si la plupart de ses suggestions sont stupides et ne marcheraient jamais tout simplement parce que c'est un garçon et qu'il ne peut pas comprendre.

2. Il ne prend pas la mouche quand il vous entend vous extasier avec votre copine sur le nouvel acteur qui joue dans *Gilmore Girls*.

Mais la raison essentielle qui vous fait dire que votre petit ami vous aime vraiment, c'est :

1. Qu'il n'en fait pas toute une histoire si vous décidez de passer votre samedi soir devant la télé au lieu de sortir avec lui.

6

Sauf que je n'ai pas pu. Passer mon samedi soir à regarder *National Geographic Explorer* avec Rebecca, parce que vers trois heures de l'après-midi, le téléphone a sonné et qu'à ma grande surprise j'ai reconnu la voix de Dauntra à l'autre bout du fil.

— Sam ?

Curieusement, elle hurlait. J'ai vite compris pourquoi. L'endroit où elle se trouvait était TRÈS bruyant.

— Dauntra ?

J'étais plutôt étonnée qu'elle me téléphone. Dauntra ne m'avait jamais appelée à la maison. Je ne savais même pas qu'elle avait mon numéro. D'accord, tous les employés de Potomac Video ont inscrit leur numéro de téléphone sur le panneau d'affichage dans le bureau de Stan, mais je ne savais pas que Dauntra avait noté le mien.

— C'est quoi tout ce bruit derrière toi ? Où es-tu ?

— Dans un commissariat de police, a répondu Dauntra.

— Dans un commissariat de police ? ai-je répété. Pourquoi ? Tu vas bien ?

— Oui, ça va. Je suis juste en état d'arrestation.

— D'arrestation ?

J'ai failli lâcher le combiné.

— Tu veux dire... que tu m'appelles de la PRISON ?

— Hum, hum, a fait Dauntra. J'ai peur de ne pas pouvoir venir travailler ce soir. Tu peux me remplacer ? De quatre heures à la fermeture. Je te le revaudrai, promis.

Dauntra était en prison. Incroyable ! Heureusement que ni mes parents ni Theresa n'étaient dans les parages. Je ne sais pas comment ils auraient réagi en apprenant qu'une de mes amies de travail était en prison.

— Mais pourquoi t'a-t-on arrêtée ?

— Quoi ?

Dauntra a apparemment abaissé le combiné et a hurlé :

— Vous ne pouvez pas la fermer un peu ? avant de revenir à moi et de me dire :

— Tu peux répéter, Sam, je n'ai pas entendu.

— Je voulais juste savoir pourquoi tu avais été arrêtée.

— Oh ? On a fait un sit-in devant le Four Seasons, tu sais, l'hôtel où ton copain le président organisait sa petite réception pour collecter des fonds. Je ne te raconte pas la surprise !

Le père de David n'était pas le seul à avoir été surpris. J'avais encore du mal à croire ce que j'entendais.

— Alors, tu peux me remplacer ou pas ? a demandé Dauntra. Si tu ne peux pas, tu pourrais appeler le magasin et demander si quelqu'un d'autre peut le faire ? Je n'ai le droit de passer qu'un seul coup de fil et je ne tiens pas à perdre mon job.

— Tu n'as le droit de passer qu'un seul coup de fil et c'est moi que tu as appelée ? Dauntra, tu ne penses pas que tu aurais mieux fait de contacter un avocat ? Écoute, ma mère est avocate. Dis-moi où tu es et je viens te chercher tout de suite avec elle.

— Je n'ai pas besoin d'avocat, a répondu Dauntra. On va m'envoyer de quoi payer ma caution, mais malheureusement trop tard pour que j'aille travailler chez Potomac Video. Tu veux bien me remplacer, alors ?

— Bien sûr !

Au même moment, j'ai entendu quelqu'un hurler une obscénité à l'adresse de Dauntra.

— Oh, mon Dieu, Dauntra ! Fais attention à toi.

— Faire attention à moi ? a répété Dauntra.

Attends, mais je ne me suis jamais autant éclatée ! Merci, Sam ! a-t-elle lancé avant de raccrocher.

Et c'est comme ça qu'une heure après, je me suis retrouvée derrière la caisse, chez Potomac Video, zappant d'une chaîne à l'autre sur le poste de télévision de la boutique à la recherche d'un reportage montrant l'arrestation de Dauntra et de ses amis.

Sauf que la télé de chez Potomac Video n'est pas câblée. Elle n'est censée en fait servir que de support pour passer les DVD en promotion pendant la semaine. Résultat, je n'ai vu que de la neige. Au bout d'un moment, Stan en a eu assez et m'a demandé de mettre le dernier Jason Bourne. Curieusement, cela ne l'avait pas étonné que je remplace Dauntra.

— Je ne veux pas savoir pourquoi elle n'est pas venue, a-t-il déclaré quand j'ai tenté de justifier son absence (je lui ai raconté qu'elle était allée rendre visite à sa tante malade). Contente-toi de surveiller les pickpockets. Ils pullulent le samedi soir. Des gamins du quartier qui n'ont rien d'autre à faire.

Bref, j'étais à la caisse et je surveillais les éventuels voleurs à la tire quand la sonnette de la boutique a retenti. Mais ce n'était ni M. Wade ni un autre habitué venu se plaindre du manque de choix, c'était Lucy.

Cela faisait une éternité qu'elle n'avait pas franchi la porte de chez Potomac Video. Les gens qui ont le monde à leurs pieds comme ma sœur n'ont pas le temps de regarder des DVD parce qu'ils sont trop occupés à aller à des fêtes ou à sortir avec leur petit copain ou leur petite copine. Je ne plaisante pas, et si par hasard, Lucy passait un samedi soir à la maison, c'était toujours ses amis qui allaient chercher un film. Bref, ce n'était franchement pas le genre d'endroit que fréquentait ma sœur.

Et c'est sans doute ce qu'elle devait penser en longeant le panneau « Nouveautés » qui faisait l'admiration de toutes les personnes présentes dans la boutique, c'est-à-dire essentiellement des lycéens arborant des tee-shirts à messages et se disputant pour savoir quel *Star Trek* ils allaient louer. Lorsqu'elle m'a enfin aperçue derrière la caisse, son visage a aussitôt exprimé le soulagement et elle s'est dirigée vers moi, inconsciente des regards de convoitise qu'elle éveillait sur son passage.

— Salut, Sam !

— Salut. Qu'est-ce que tu fabriques ici ? lui ai-je demandé, parce que, normalement, elle aurait dû être avec Jack ou avec une amie.

Et puis, ça m'est revenu.

— Attends, me suis-je exclamée. Ne me dis pas qu'ils t'ont aussi privée de sortie !

Lucy a froncé les sourcils.

— Qui ça, ils ?

— Papa et maman. À cause de tes mauvaises notes.

— Oh, non ! Pas du tout ! a-t-elle répondu en éclatant de rire.

Je l'ai dévisagée. Sur tous les écrans de télé autour de nous, l'image de Matt Damon vacillait tandis qu'il déclarait : « Ils ont tué la femme que j'aime ! » Eh bien, vous savez quoi ? Les tordus de SF fixaient Lucy avec le même regard ahuri que Matt.

— Qu'est-ce que tu fais là alors, si tu n'es pas punie ?

— Oh..., a commencé Lucy en passant son minuscule sac Louis Vuitton (le cadeau de grand-mère pour son anniversaire) d'une épaule à l'autre, je me disais que je pourrais louer un DVD. Tu en as peut-être entendu parler. Ça s'appelle *Hellboy*.

— *Hellboy* ? ai-je répété, incrédule.

— Hum, hum, a-t-elle répondu tout en parcourant le magasin du regard.

Dès que ses yeux se sont posés sur les mordus de la SF, ceux-ci ont baissé la tête et ont fait mine de s'intéresser à l'affiche du dernier *Alien*.

— Vous ne l'auriez pas, par hasard ?

— Tu veux parler de *Hellboy* avec Ron Perlman et Selma Blair. Le *Hellboy* qui a été tourné en 2004 d'après la bande dessinée du même nom ?

— Je crois, oui. C'est Harold qui m'a conseillé de le regarder.

— Harold MINSKY ? ai-je presque hurlé.

— Hum, hum. Il m'a dit que c'était son film préféré. Je ne sais pas pourquoi, mais je suis quasi sûre de t'avoir entendue en parler, un jour. Tu disais même que tu avais bien aimé.

Elle a tendu la main et s'est mise à tripoter l'une des figurines du *Noël de M. Jack* que Dauntra avait disposée dans un panier près de la caisse.

— Alors, vous l'avez ?

Sans quitter ma sœur des yeux, j'ai alors lancé aux fans de SF :

— Vous pouvez me sortir *Hellboy*, s'il vous plaît, et me l'apporter ?

Une seconde plus tard, j'avais le DVD de *Hellboy* devant moi. Lucy s'est tournée vers les garçons.

— Merci, leur a-t-elle dit avec son plus joli sourire.

Il ne leur en a pas fallu plus pour qu'ils se dispersent aussitôt du côté des documentaires.

— Tiens. Voilà ton DVD.

Lucy a examiné l'affiche du film.

— Alors, c'est lui, Hellboy, avec ces espèces d'oreilles de lapin.

— Ce sont des cornes, Lucy. Il les lime.

— Et est-ce qu'il est... gentil ? Parce qu'il n'a pas trop l'air très gentil.

— C'est justement le conflit dans lequel il se trouve. Hellboy est un démon constamment en désaccord avec lui-même. Il est Satan sur terre et pourtant a été élevé avec amour par des gens qui voulaient le bien de l'humanité. Une fois adulte, Hellboy a promis de combattre sa propre nature et de sauver le monde des forces du mal. Il trouve la rédemption grâce à son amour pour Liz, qui est elle aussi en désaccord avec son pouvoir de contrôler le feu.

— Oh…, a fait Lucy. Ça a l'air très intéressant. Je le prends. Je te dois combien ?

— Un dollar. Je te fais profiter de ma réduction en tant qu'employé. Après tout, on fait partie de la même famille.

— Génial !

Tout en cherchant son porte-monnaie dans son sac, Lucy m'a alors demandé en prenant bien soin de ne pas croiser mon regard :

— Tu le connais bien, Harold, n'est-ce pas ? Je veux dire, socialement parlant.

J'ai cligné des yeux plusieurs fois. Étant donné les cercles que fréquentait Harold, la question de Lucy n'était pas très flatteuse à mon égard. Mais.... d'où lui venait cette soudaine fascination pour Harold Minsky ?

— Pas vraiment, non. On partage le même ordinateur en informatique, mais on n'a pas les mêmes amis. Je suis bizarre, je te l'accorde, mais pas SI bizarre que ça.

— C'est vrai, mais tu fais collection de BD, comme lui.

— De mangas, ai-je corrigé.

— Si tu veux, a concédé Lucy en me tendant un billet d'un dollar. Bref, ce que je voudrais savoir, c'est si tu as déjà entendu dire que Harold avait une petite amie.

La question m'a tellement soufflée que j'ai failli tomber à la renverse.

— HAROLD ? HAROLD MINSKY ? Quelle fille voudrait sortir avec lui ? Tu as vu ses cheveux ? Non, Harold n'a pas de petite amie.

— C'est bien ce que je pensais, a déclaré Lucy, l'air songeuse. Et je trouve ça curieux.

— Qu'est-ce qui est curieux ?

— Que Harold ne semble pas du tout intéressé par moi. Je crois qu'il m'aime bien, mais je n'ai pas l'impression qu'il m'aime... Enfin, tu vois ce que je veux dire.

— Tout à fait. Tu veux dire que tu ne comprends pas que Harold n'ait pas le béguin pour toi.

— Eh bien, oui... C'est curieux, non ?

Vous savez quoi ? Même quand elle dit des choses comme ça, on ne peut pas vraiment en vouloir à Lucy. Elle ne le fait pas exprès. Tous les garçons sont fous d'elle, tous à l'exception de ceux qui sont gays ou déjà pris, comme David. Aussi, qu'un garçon libre, comme Harold, n'ait pas eu le coup de foudre pour elle était une expérience totalement nouvelle pour elle.

Et, de toute évidence, une expérience qu'elle n'appréciait guère.

— Écoute-moi, Lucy, ai-je déclaré. Si papa et maman ont choisi Harold comme répétiteur, c'est justement parce que c'est le genre de garçon à ne pas succomber à tes charmes. Si j'étais toi, je ne me plaindrais pas.

— Je ne me plains pas. Je trouve ça bizarre, c'est tout. Tous les garçons m'apprécient, d'habitude. Pourquoi pas lui ?

J'ai failli craquer, à ce moment-là. Lucy peut être la meilleure des grandes sœurs qui soit, par exemple pour acheter certaines choses à sa petite sœur, mais parfois, elle peut vraiment faire preuve d'une très grande futilité.

— Tout le monde ne juge pas les gens sur leur apparence, Lucy, ai-je dit. Je suis sûre que dans ton cercle d'amis, c'est la pratique, mais Harold a sans doute appris à juger les gens sur ce qu'ils sont intérieurement et non extérieurement.

Voyant qu'elle me regardait d'un air déconcerté, j'ai pointé du doigt le DVD qu'elle venait de louer.

— Comme *lui*, par exemple, ai-je continué. Il a l'air méchant, n'est-ce pas ? Eh bien, il ne l'est pas. On ne peut pas toujours juger les autres d'après leur physique. Les gens laids peuvent être beaux à l'intérieur d'eux-mêmes, et inversement. Des gens beaux peuvent être mauvais. C'est tout ce que je dis. Qui sait ? Harold pense peut-être qu'intérieurement tu laisses à désirer.

— Pourquoi ? a demandé Lucy sur un ton acerbe. Je ne suis pas mauvaise, ou bête si c'est ce que tu veux dire. Ce n'est pas parce que je ne connais pas le sens du mot « badine » que...

— Mais qu'est-ce que tu en as à faire de Harold ? l'ai-je coupée, histoire de vérifier que, par le plus grand des hasards, elle n'était pas en train de tomber amoureuse de lui. Après tout, tu as déjà un petit ami ? Et d'ailleurs, où est-il en ce moment ?

— Jack ? a-t-elle fait en balayant le sol du regard. Il n'est pas venu ce week-end. C'est moi qui le lui ai demandé, vu que les parents sont en colère à cause de mes résultats à l'examen blanc.

— Oui, je suis au courant, ai-je compati. Pour ton entraînement aussi. Ça craint, non ?

— Oh, tu sais, a lâché Lucy avec un haussement d'épaules. Je commençais à en avoir un peu assez des pompom girls. Et puis, c'est moins drôle quand tu es chef d'équipe. Maintenant que je suis en dernière année, ça veut dire que je dois m'occuper des différents numéros, et tout ça. C'est beaucoup trop de responsabilités, tu comprends ?

C'était bien la première fois que j'entendais dire qu'organiser les chorégraphies des pompom girls représentait une trop grande responsabilité. Mais après tout, j'étais assez mal placée pour en juger. Je ne l'avais jamais fait. C'était peut-être très dur, aussi dur qu'intégrer le sujet de son dessin dans l'arrière-plan ?

— Jack n'a pas fait la tête ? ai-je demandé, sachant que Jack était le genre de personne à s'attendre à être traité comme s'il était l'être le plus important dans la vie des gens. Comment il l'a pris ?

— Jack ? Il a eu le toupet de me demander pourquoi IL ne pouvait pas me donner lui-même des cours... comme s'il avait eu de meilleures notes que moi. Mais les parents ont vite mis le holà en faisant valoir qu'ensemble, on ne ferait pas grand-chose. De toute façon, M. et Mme Ryder veulent que leur fils se concentre un peu plus sur ses études. Il n'a pas vraiment travaillé depuis le début de l'année. Tu me diras, à force de revenir tous les week-ends, il fallait s'y attendre. Il n'a pas eu la moyenne à son dernier projet et ça les a complètement fait flipper.

Ce que je pouvais comprendre aisément. À cause des mauvaises notes de Jack, les Ryder avaient dû faire jouer leurs relations pour pouvoir inscrire leur fils dans cette école de design. Bref, la théorie de Jack comme quoi les notes ne prouvent rien n'avait pas marché comme il l'avait prévu.

— Il doit te manquer, j'imagine, ai-je déclaré sur un ton que j'ai voulu le plus réconfortant possible.

— Oui, a répondu Lucy vaguement. Tu crois que Harold aime bien les cookies aux pépites de chocolat ? Je pensais lui en offrir. Pour le remercier de me faire travailler.

— Maman et papa le PAIENT pour te faire travailler, Lucy, ai-je fait remarquer. Tu n'as pas besoin de lui offrir des cookies.

— Je sais, mais ça n'a jamais fait de mal à personne d'être gentille, a-t-elle déclaré en ramassant son sac. Bon, eh bien... merci, Sam.

— Tout le plaisir est pour moi !

Puis, tout en réalisant que j'étais franchement ridicule – LUCY, tomber amoureuse de Harold Minsky ? Un peu de sérieux, s'il vous plaît –, j'ai ajouté :

— Au fait, merci à toi aussi. Pour les.... tu vois ce que je veux dire. La boîte que tu m'as achetée.

— Pas de problème, a-t-elle répondu avec un clin d'œil qui a fait trébucher l'un des mordus de SF contre le personnage de Boba Fett.

— Madison ! m'a appelée Stan en se matérialisant brusquement à mes côtés. C'est une de tes amies ?

— Non, c'est ma sœur, Lucy. Lucy, je te présente Stan, le manager.

— Enchantée, a dit Lucy poliment tandis que Stan la dévisageait comme si elle venait de sortir d'une vidéo de *Nanako*.

— Bonsoir, a-t-il répondu dans un souffle avant d'ajouter : Écoute, Madison, si tu veux rentrer avec ta sœur maintenant, vas-y. Je fermerai la boutique.

J'ai jeté un coup d'œil à la pendule. J'aurais dû rester encore pendant quinze bonnes minutes et il m'autorisait à partir plus tôt ! Hé, ça avait du bon parfois d'avoir une sœur super sexy.

— Merci, Stan, me suis-je empressée de répondre tout en attrapant mon manteau et mon sac à dos pour rejoindre Lucy de l'autre côté de la caisse.

— Une minute.

Mais oui, bien sûr : Stan voulait fouiller mon sac, ce qu'il a fait rapidement sous le regard intrigué de Lucy.

— C'est bon, a-t-il dit en me rendant mon sac. Tu peux y aller. Bonne soirée.

— Merci. À la prochaine !

Et sur ces paroles, on est parties, Lucy et moi, dans la nuit froide.

— Est-ce qu'il fouille TOUS les sacs ou juste le tien ? m'a demandé Lucy.

— Tous.

— Incroyable ! Et ça ne te rend pas folle de rage ?

— Je ne sais pas.

En vérité, j'avais d'autres sujets de tracasserie qui me prenaient bien plus la tête. Je pensais que Lucy aussi.

— Ils ne fouillent pas ton sac quand tu quittes Mes Dessous Préférés ?

— Non.

— Cela dit, c'est sans doute plus rentable de revendre des DVD que des soutiens-gorge sur eBay.

— Tu plaisantes ou quoi ! s'est exclamée Lucy. Certains soutiens-gorge coûtent plus de quatre-vingts dollars ! En tout cas, ça me surprend que tu acceptes d'être traitée de la sorte, a-t-elle poursuivi. Par ton Stan. Ça ne te ressemble pas.

— Que veux-tu que je fasse ? ai-je marmonné. Un sit-in ?

— Je ne sais pas. Mais tu pourrais effectivement faire quelque chose.

Ce qui était facile à dire pour elle. Après tout, nos parents l'avaient dispensée de gagner son argent de poche. Ce qui n'était pas le cas pour moi. J'avais BESOIN de mon job, ne serait-ce que pour payer mon matériel de dessin.

Vous savez quoi ? J'aurais dû m'en douter. J'aurais dû comprendre que la venue de Lucy chez Potomac Video était le signe d'un très grand changement qui se produisait en elle.

Mais j'étais trop obsédée par mes problèmes pour m'intéresser aux siens. Surtout quand on sait que mes problèmes allaient prendre des proportions inimaginables.

Les dix raisons qui me font dire que je crains, comme petite amie :

10. Au lieu de sortir avec mon petit ami le samedi soir, je préfère remplacer une collègue au boulot qui a été arrêtée pour avoir protesté contre un projet auquel le père de mon petit ami tient énormément.

9. Pire, je ne prends même pas la peine de l'appeler.

8. Mon petit ami, je veux dire. Et pourtant, il m'avait bien demandé de le faire. Même après avoir vu aux infos des centaines de personnes qui étaient arrêtées pour avoir manifesté devant l'hôtel où le père de mon petit ami recevait ses sponsors.

7. Et quand il m'appelle (mon petit ami), il tombe sur ma boîte vocale. Parce que je ne sais pas quoi lui dire.

6. Même si je sais qu'il est probablement blessé.

5. Car ces gens, à la télé, donnaient vraiment l'impression de détester son père.

4. Mais c'est parce que j'ai trop de problèmes. Par exemple, je dois décider si oui ou non je suis d'accord avec mon petit ami. Pour savoir si on est prêts. Prêts pour... ce que vous savez.

3. Personnellement, je n'en suis pas sûre.

2. Enfin, la plupart du temps.

Mais la raison principale qui me fait dire que franchement je crains, comme petite amie, c'est :

1. Que je ne le rappelle même pas le lendemain. Et que je ne décroche pas non plus quand c'est lui qui appelle.

7

— Ils étaient si... sales ! s'est exclamée Catherine à propos des contestataires qu'elle avait vus aux infos.

C'est-à-dire ceux qui se trouvaient devant le Four Seasons quand Dauntra avait été arrêtée.

— On aurait dit qu'ils ne s'étaient pas lavés depuis des semaines !

— C'est parce qu'ils faisaient un sit-in, ai-je fait remarquer. Comme ils étaient assis par terre dans la rue, tu as eu l'impression qu'ils étaient sales.

— Ce n'était pas que de la poussière, a insisté Catherine tout en cherchant une pomme pas trop abîmée dans la corbeille de fruits du self-service. Ils avaient l'air de... de SDF. Ils auraient pu faire un effort pour mieux s'habiller, non ?

— Ils n'allaient quand même pas mettre leurs habits du dimanche pour s'asseoir dans la rue !

— Peut-être, sauf que s'ils veulent que les gens adhèrent à leur cause, ils pourraient au moins retirer leurs piercings ! Comment veux-tu qu'on communique avec des gens pareils ? Déjà qu'ils disent du mal du président, si en plus, ils sont dégoûtants...

— Ils ne disaient pas de mal du président, ils protestaient contre sa politique, et...

Mais avant que j'aie le temps de poursuivre, Kris Park est arrivée et m'a lancé :

— Qu'est-ce que vous faites ? Je croyais que vous deviez nous aider à préparer le gymnase !

Je ne voyais pas du tout de quoi elle parlait. Heureusement, Catherine, elle, s'est rappelé notre promesse et m'a donné un coup de coude en disant :

— Pour l'allocution du président, demain.

— Ah oui, bien sûr ! me suis-je écriée en m'efforçant de paraître plus enthousiaste que je ne l'étais, car passer toute l'heure du déjeuner à installer des chaises pliantes dans le gymnase du lycée avec Kris Park et ses acolytes du Droit Chemin ne m'emballait guère.

— On y va ! a repris Kris en me prenant par le bras. J'ai dit à TOUT LE MONDE que tu viendrais.

Par tout le monde, Kris parlait bien de... tout le monde. Non seulement, les membres du Droit Chemin, mais d'autres élèves d'Adams Prep et certains profs, comme ma prof d'allemand qui ne cessait d'aller et venir en criant :

— Ne renversez pas de peinture sur le plancher du gymnase !

Sans compter les journalistes que Kris avait conviés pour me voir, moi, la fille qui avait sauvé la vie du président, en train d'installer des chaises pliantes.

Cela dit, ils étaient peu nombreux, la plupart étant heureusement occupés par de vrais sujets et non par les préparatifs d'une école privée s'apprêtant à recevoir le président de la nation. À moins qu'ils n'aient tout simplement compris que Kris se servait d'eux pour avoir sa photo dans le journal et un article à glisser dans son dossier d'inscription à l'université.

Les seuls à s'être déplacés étaient des journalistes indépendants et des photographes qui me mitraillaient tandis que je peignais une bannière sur laquelle on pouvait lire : BIENVENUE À ADAMS PREP, MONSIEUR LE PRÉSIDENT.

Bref, alors que je traçais les lettres de cette si originale formule, Debra, la danseuse que Kris avait traitée de nympho, s'est approchée et a demandé gaiement :

— Qu'est-ce que vous faites ?

Kris, qui était tout à fait consciente d'être dans le viseur de plusieurs appareils photo, a répondu :

— On prépare le gymnase pour la venue du président, mardi soir.

— Le président des États-Unis vient ICI ? À

Adams Prep ? s'est exclamée Debra, visiblement très impressionnée.

— Hum, hum, a fait Kris avant d'ajouter : Si tu passais moins de temps derrière les gradins avec ton petit copain et que tu t'intéresses un peu plus à ce qui se dit en classe, tu le saurais.

Debra a cligné des yeux plusieurs fois. Pour être franche, moi aussi.

— Tu crois que c'était nécessaire ? ai-je demandé à Kris après le départ d'une Debra légèrement confuse.

Kris a froncé les sourcils. Apparemment, elle ne comprenait pas ma question.

— Qu'est-ce qui était nécessaire ?

— Ce que tu as dit à Debra.

Kris m'a toisée avec un air de défi.

— Je ne vois pas pourquoi je me serais tue. C'est la vérité, après tout.

— Oui, mais c'est son petit ami. Si elle veut traîner avec lui derrière les gradins, ça la regarde.

— Je ne dirais pas que Deb et Jeff *traînaient*... surtout quand on sait dans quelle position on les a surpris..., a-t-elle fait remarquer d'un air plein de sous-entendus.

C'est seulement lorsque je l'ai vue plisser les yeux que j'ai compris ce qui se tramait : tous les journalistes qui déambulaient dans le gymnase avec l'impression de s'ennuyer ou de maudire leur patron de les avoir envoyés sur un sujet aussi dépourvu d'intérêt, s'étaient brusquement rassemblés autour de nous et écoutaient notre conversation. *Voilà qui est très intéressant*, semblaient-ils penser.

La-fille-qui-a-sauvé-la-vie-du-président-a-un-différend-avec-la-fondatrice-du-Droit-Chemin ? Mais c'est tout à fait passionnant !

— Au fait, Sam, a continué Kris en plaquant un sourire forcé sur ses lèvres car de toute évidence, elle ne pouvait pas dire ce qui la démangeait, à savoir : « Casse-toi, Madison. » Je ne savais pas que vous étiez si amies, Debra et toi.

— On n'est pas amies ! ai-je rétorqué.

Je m'en suis voulu, après. Car le ton sur lequel j'avais répondu signifiait qu'il était impensable que je sois amie avec une fille comme Debra qui avait la réputation d'être une nympho, alors qu'en réalité, je n'étais pas amie avec elle parce qu'elle faisait partie du club de danse et que je ne supporte pas les gens qui ont l'esprit lycée. Il ne faut pas oublier que les filles du club de danse présentent leur chorégraphie pendant les mi-temps des matchs de foot.

— Ce que je veux dire, c'est...

Je n'ai malheureusement pas pu m'expliquer : mon téléphone portable a sonné au même moment.

David. Ça ne pouvait être que David.

Tout le monde me regardait : Kris, Catherine, ma prof d'allemand, les journalistes.

À la deuxième sonnerie – *Harajuku Girls* de Gwen Stefani –, Kris a dit :

— Tu ne réponds pas ?

J'ai sorti mon téléphone de la poche de mon jeans en serrant les dents. Je m'apprêtais à couper la sonnerie mais trop tard. Kris avait déjà vu le nom de David s'afficher sur l'écran.

— C'est le fils du président ! s'est-elle écriée.

En un instant, tous les appareils photo et les caméras de télé se sont braqués sur moi.

Je ne pouvais pas ignorer l'appel de David. Pas cette fois-ci.

L'estomac noué, j'ai décroché et dit :

— Allô ?

— Sam ?

Une fois de plus, David parvenait à traduire mille émotions dans un seul mot – le soulagement que je lui réponde enfin, le bonheur d'entendre ma voix, le trouble et la déception d'avoir été battu froid depuis deux jours... et peut-être même un peu de colère.

— Enfin, j'arrive à te parler. Où étais-tu ? J'essaie de t'appeler depuis samedi soir.

— Oui, je sais, ai-je commencé, consciente de tous les regards sur moi. Je suis désolée, mais je t'ai dit, ça a été de la folie pour moi ces derniers temps. Mais toi, comment vas-tu ?

— Ça a été de la folie *pour toi* ? a répété David en éclatant de rire. Est-ce que tu as regardé la télé récemment ? Tu as vu ce qu'il s'est passé samedi soir ? Dommage que tu n'aies pas été là. Tu aurais adoré.

— Oui, probablement. En fait, David, je ne peux pas trop te parler en ce moment.

— Et *quand* pourras-tu me parler, Sam ? a-t-il demandé, et cette fois, il ne donnait pas du tout l'impression de plaisanter. Tu m'as à peine adressé la parole depuis mardi. Quel créneau horaire as-tu à me proposer dans ton emploi du temps hyper chargé ?

— Dis donc ! C'est TOI qui es sorti avec tes parents samedi soir !

Bon d'accord, ce n'était pas très juste de dire ça. Après tout, David m'avait invitée. Par ailleurs, ses parents n'étaient pas... des parents *normaux*.

— Qu'est-ce que tu as, Sam ? a voulu savoir David, visiblement troublé. Et ne me réponds pas que tout va bien, je ne te croirais pas. Je suis sûr qu'il s'est passé quelque chose. Tu es fâchée contre moi ?

J'ai tout à coup pris conscience du silence grandissant autour de moi, ce qui était étrange vu le nombre de personnes présentes dans le gymnase, toutes occupées en plus à faire des choses bruyantes, comme ouvrir des chaises pliantes et les disposer en rangées devant l'estrade.

Sauf que personne ne faisait rien de tout cela à ce moment-là. À la place, ils se tenaient immobiles et ne me quittaient pas des yeux. Même Catherine dont le pinceau reposait en l'air. Le seul bruit qu'on entendait, c'était le ronronnement des caméras de télé.

— J'ai l'impression que tu m'en veux depuis que je t'ai parlé de Thanksgiving, a repris David, qui commençait à paraître plus en colère que troublé. Je veux savoir pourquoi. C'est vrai, quoi ! Qu'est-ce que j'ai fait ?

— Rien, ai-je répondu en fusillant Kris Park du regard.

Son sourire satisfait pendant que je me disputais avec mon petit ami commençait à m'énerver.

— Il faut que je te laisse, David, ai-je répété. Je t'expliquerai plus tard.

— Tu veux dire que tu m'expliqueras plus tard pourquoi tu dois me laisser maintenant ? Ou pourquoi tu m'en veux ?

— Je ne t'en veux pas. C'est la vérité. Je t'expliquerai plus tard.

— Qui me dit que tu ne vas pas plutôt éviter mes appels ?

— S'il te plaît, David.

Puis, espérant de tout mon cœur qu'il finirait par comprendre ce que moi-même je ne parvenais pas à comprendre, j'ai ajouté :

— Je t'aime.

— Moi, je t'aime, a-t-il répondu sur un ton légèrement agacé avant de raccrocher.

J'ai raccroché à mon tour et j'ai rangé mon portable. Puis, les joues en feu et les yeux baissés, je suis retournée à ma bannière. Catherine m'a aussitôt tendu mon pinceau.

— Ça va ? m'a-t-elle demandé doucement.

— Oui, oui, ai-je dit en essayant d'apporter une touche artistique aux trois dernières lettres que je peignais, le ENT de PRÉSIDENT.

— Contente de le savoir, est intervenue Kris Park, penchée sur ses trois lettres à elle, SID. Je ne supporterais pas que ça se passe mal entre vous.

À ce moment-là, pour une raison qui m'échappe encore, je me suis redressée et j'ai donné un coup de pied dans le seau de peinture à côté de moi, de sorte que la peinture a coulé sur la bannière, recouvrant notre BIENVENUE À ADAMS PREP, MONSIEUR LE PRÉSIDENT, les chaussures des filles qui peignaient avec moi et le plancher du gymnase.

— Noooooon ! a hurlé la prof d'allemand.

— Sam ! a crié à son tour Catherine en bondissant sur le côté.

— Tu me le paieras ! a lâché Kris Park quand elle a vu l'état de ses chaussures.

J'ai alors jeté mon pinceau au milieu de l'allée et je suis partie.

Dix façons de s'occuper quand on est collée après les cours au lycée John Adams :

10. Finir ses exos de trigonométrie.
9. Se ronger les ongles.
8. Essayer enfin de lire le texte que la prof d'allemand vous a donné.
7. Se demander comment vos parents vont réagir quand ils apprendront que vous avez été collée.
6. Se dire qu'ils vont vous interdire d'aller à Camp David avec votre petit ami pour Thanksgiving.
5. Se dire que ce n'est finalement pas plus mal.
4. Rédiger votre dissertation dont le sujet est :

« Qu'est-ce que le patriotisme signifie pour vous. » Écrire que le patriotisme, c'est ne pas être d'accord avec le gouvernement sans être obligé d'aller en prison.

3. Dessiner votre propre manga, mais pas un de ces mangas débiles où le garçon se transforme en un petit lapin dès que l'héroïne le serre dans ses bras. Non, dans votre manga, l'héroïne est en mission pour venger sa famille, comme Uma Thurman dans *Kill Bill*, et tue toutes les personnes qui se trouvent sur son chemin.

2. Renoncer à créer votre manga au bout de cinq dessins parce que c'est trop difficile et essayer à la place de dessiner votre petit ami de mémoire, en vous concentrant sur l'ensemble de son corps et non sur certaines parties.

Mais la meilleure façon de s'occuper quand on est collée à Adams Prep, c'est :

1. Se demander si votre petit ami vous aime toujours après le traitement que vous lui avez infligé. Vous pouvez aussi vous dire que, s'il a un peu de jugeote, il se rendra compte qu'il peut se trouver une petite amie qui lui prendra bien moins la tête que vous.

8

Mes parents ont été étonnamment très cool quand ils ont appris que j'avais été collée. Dès qu'ils ont su que Kris Park y était pour quelque chose, ils se sont contentés de dire :

— Ne recommence pas, c'est tout.

Quant à Theresa, elle s'est carrément exclamée :

— Je suis fière de toi, Sam. Au moins, tu ne lui as pas versé le pot de peinture sur la tête.

Ce qui m'a fait penser que j'avais énormément progressé cette année, et que j'étais devenue un être humain. Car un an auparavant, c'est ce que j'aurais fait : renverser le pot de peinture sur la tête de Kris Park.

Cela dit, personne ne s'est soucié de savoir POURQUOI j'avais fait ça. Faire exprès de ne pas faire exprès de répandre de la peinture sur le plancher du gymnase. Personne sauf Lucy, qui est venue traîner dans ma chambre après dîner pendant que je peinais sur mon exercice d'allemand.

— Alors ? Vous en êtes où, David et toi, a-t-elle dit en s'asseyant sur mon lit, à côté de Manet, sans y avoir été invitée, je tiens à le préciser.

— Nulle part.

Ne me demandez pas pourquoi, mais ça m'agaçait qu'elle soit là. Je sais, elle avait été super sympa avec moi en m'achetant les... Enfin, vous voyez ce que je veux dire.

En fait, peut-être que ce n'était pas tant Lucy qui m'agaçait que *moi-même*. Parce que je n'avais toujours pas rappelé David.

C'est juste que...

Je ne savais pas quoi lui dire.

— Pourquoi tu ne lui réponds pas dans ce cas quand il t'appelle, a continué Lucy en levant les yeux vers le plafond.

Je me suis tournée vers elle.

— Qui te dit que je ne lui réponds pas ?

— C'est ce qu'on raconte au bahut. Ce n'est pas pour ça d'ailleurs que tu as renversé ce pot de peinture ? Parce que Kris t'avait fait une réflexion ?

— Non, ai-je menti.

— Ah bon, a fait Lucy avec un petit rire qui signifiait qu'elle n'en croyait rien. Si tu le dis.

Mais elle n'est pas partie pour autant. Non, elle est

restée et a joué avec la touffe de poils qui retombe sur la tête de Manet. Elle a essayé une fois de lui faire une tresse, pire de lui mettre des petites barrettes en forme de papillon. Ce qui m'a évidemment mise en rogne. Si les chiens de berger ont des poils qui leur retombent sur les yeux, c'est pour une raison bien particulière : c'est parce que leurs yeux sont sensibles à la lumière.

J'ai observé Lucy tandis qu'elle tentait de coiffer Manet à l'iroquois. Puisqu'elle avait de toute évidence de l'expérience en ce qui concerne les garçons, il y avait une chance – O.K., une toute petite chance, mais quand même... – pour qu'elle puisse m'aider. Après tout, elle avait dû vivre ce que j'étais en train de vivre, non ?

Du coup, j'ai refermé mon livre d'allemand et je me suis lancée.

— C'est juste que... Je ne sais pas. J'ai envie de le faire avec lui, mais si...

Lucy a lâché la tête de Manet et a dit :

— Si quoi ?

— Si... si je n'aime pas ça ?

— Tu n'as jamais essayé ? m'a-t-elle demandé.

J'ai ouvert de grands yeux.

— Essayer ? ai-je répété. QUOI ?

— De te donner du plaisir, a répondu Lucy. C'est facile, pourtant.

— PARDON !

Lucy a froncé les sourcils.

— Tu veux dire que tu n'as jamais essayé ?

— CERTAINEMENT PAS ! ai-je hurlé, suffisamment fort pour que Manet soulève sa tête et parcoure la pièce du regard.

— Il n'y a pas de mal à ça, tu sais, a fait Lucy. C'est naturel, même. Tout est expliqué dans les livres.

— Dans les livres ?

— Dans certains livres, en tout cas. J'en ai quelques-uns qui sont très descriptifs. Cela dit, c'est pas mal de le faire aussi en pensant à Orlando Bloom, par exemple. Ça aide.

Je continuais de la fixer, totalement abasourdie.

— Et c'est de ÇA dont vous parlez à table à la cafétéria ?

— Pas à table, idiote, a répondu Lucy en éclatant de rire. Il y a des garçons avec nous, et les garçons n'aiment pas savoir qu'on pense à un autre qu'à eux-mêmes. Tu peux me croire. Mais dès qu'on se retrouve entre filles, alors, oui, on ne parle que de ça. Tiffany Shore est la première à avoir essayé. Elle avait lu un article dans *Cosmo*. Elle l'a même fait sous la douche.

— OH MON DIEU ! ai-je crié à nouveau.

Lucy a paru surprise par ma réaction.

— N'oublie pas qu'on n'est pas comme les garçons. On n'est pas nées en sachant le faire. Et je te déconseille de laisser les garçons prendre les choses en main. Tout ce à quoi ils pensent, du moins pour la plupart, c'est à leur plaisir à eux. Les filles doivent se débrouiller toute seules. C'est pour ça que c'est important de s'entraîner. Et d'apprendre à être dans le bon état d'esprit. Moi, ce qui m'aide, c'est de penser à ce type qui joue dans *La Vengeance de Monte Cristo.*

— Jim Caviezel ? ai-je dit, encore plus horrifiée.

— Hum, hum. Il est super sexy, tu ne trouves pas ?

Je n'arrivais pas à croire que j'étais en train de parler de ÇA avec ma sœur. J'imagine que mon visage devait exprimer mon trouble, car Lucy a ajouté :

— Hé, remets-toi, Sam. Tu ne peux tout de même pas t'attendre à ce qu'un garçon sache comment te donner du plaisir. C'est à toi de t'en occuper, pour pouvoir le lui expliquer après.

Première nouvelle en ce qui me concernait.

— Et tu l'as expliqué à Jack ? ai-je demandé car, pour moi, jamais Jack ne laisserait qui que ce soit lui expliquer quoi que ce soit. Même Lucy. De toute façon, il pense qu'il sait tout.

— Jack ? a répété Lucy, avec une drôle d'expression tout à coup. Comme si elle allait pleurer.

Je vous jure. Et je n'avais fait que prononcer le nom de Jack.

Alors que j'observais ma sœur plus attentivement, elle a enfoui la tête dans la fourrure de Manet.

— Lucy ? ai-je dit en m'approchant d'elle. Ça va ? Tu es... tu es malade ?

— Oui, je suis malade, a-t-elle répondu. Malade d'entendre CE nom.

J'ai plissé les yeux. Ce nom ? Quel nom ? Le nom de Jack ?

— Il s'est passé quelque chose entre Jack et toi ?

Tandis que les mots sortaient de ma bouche, je me suis rendu compte à quel point ma question était stupide. ÉVIDEMMENT qu'il s'était passé quelque chose. Jack avait-il rencontré une fille à la fac ?

Bien sûr que non ! Jack était fou amoureux de Lucy. Jamais il ne lui ferait un coup pareil ! Que s'était-il passé alors ?

Tout à coup, ma respiration s'est bloquée tandis que je repensais à ce que papa avait dit dans le salon l'autre soir, quand il voulait interdire à Lucy de voir Jack. Et si Lucy envisageait de fuir avec lui, ce soir, à moto, comme Daryl Hannah et Aidan Quinn dans *Reckless* ? Oh, non ! Lucy aussi est une pompom girl, tout comme le personnage que jouait Daryl ! Et Jack a un blouson de cuir, exactement comme celui que portait Aidan !

Mais où iraient-ils vivre s'ils fuyaient tous les deux ? Ils n'avaient pas d'argent. Et Lucy avait perdu son boulot chez Mes Dessous Préférés ! Ils seraient obligés de vivre... DANS UN MOBILE HOME.

— Lucy ! me suis-je exclamée en la prenant par

les poignets. Tu ne peux PAS t'enfuir avec Jack ! Tu ne peux PAS aller vivre dans un mobile home. Les mobile homes se trouvent SYSTÉMATIQUEMENT sur le passage des tornades !

Lucy a relevé la tête et m'a regardée à travers ses yeux gonflés de larmes.

— M'enfuir avec Jack ? Ça va pas ? De toute façon, je ne sors même plus avec lui. Je lui ai envoyé un mail la semaine dernière pour lui annoncer que c'était terminé entre nous.

— QUOI ?

— Tu as bien entendu.

Elle a finalement relevé la tête. Ses larmes avaient laissé deux traces le long de ses joues. Curieusement, elle était encore jolie, même avec les poils de chien qui s'y étaient collés.

Il n'y a vraiment pas de justice en ce monde.

— Tu as cassé avec Jack ? ai-je répété, avec l'impression que mon cerveau s'était transformé en bouillie. Et tu le lui as annoncé par mail ?

— Oui, a-t-elle répondu en ôtant quelques poils de son visage. Et alors ?

— Ce n'est pas...

Comment pouvait-elle ne pas s'en rendre compte ?

— Ce n'est pas... un peu froid ? ai-je fini par dire.

— Je m'en fiche. Je ne supportais plus de l'entendre se plaindre. En plus, il m'étouffait. Il est à la fac, tout de même. On pourrait penser qu'à la fac il aurait eu sa vie à lui ! Mais non, il fallait qu'il revienne tous les week-ends et me casse les pieds.

— Mais c'est parce qu'il t'aime et que tu lui manques.

— Oui, c'est ça, sauf que sa façon de m'aimer, c'était d'être sans arrêt derrière mon dos. Franchement, bon débarras ! Tu sais ce qu'il me disait tout le temps ? « *Je ne comprends pas que tu préfères assister à un match avec tes copines plutôt que rester avec moi. C'est à se demander si tu ne te soucies pas plus d'elles que de moi* », a-t-elle déclaré en imitant étonnamment bien la voix de son ex-petit copain, avant d'ajouter : Comme si le fait de vouloir m'amuser avec les filles était un affront à sa personne !

Je n'en revenais pas. Lucy et Jack avaient rompu. Et vraiment rompu, cette fois. Comment était-ce possible ? Comment était-ce possible que ce soit fini entre eux ?

— Mais tu es sortie avec lui pendant des années ! ai-je repris. Au lycée, tout le monde était persuadé que vous finiriez par vous MARIER.

— Eh bien, ça n'a pas marché.

— Jack était pourtant le premier ! me suis-je exclamée.

— Le premier quoi ?

— Ton premier AMOUR.

Lucy a fait la grimace avant de répondre :

— Parlons-en. Si j'avais su, j'en aurais choisi un

moins lunatique. Et moins COLLANT. J'aurais choisi un garçon comme...

Je l'ai dévisagée.

— Comme qui ?

— Personne, a-t-elle fait avec un geste d'impatience. Laisse tomber.

— Non, je veux savoir. Dis-moi qui. Tu peux me le dire, Lucy, je ne le répéterai pas.

David, ça ne pouvait être que David. Bien sûr, Lucy rêvait d'avoir un petit ami comme David. David qui, lorsqu'il m'appelle, ne le fait pas pour savoir si je suis avec un autre garçon, mais tout simplement parce qu'il se soucie de moi et qu'il a envie de savoir si j'ai passé une bonne journée. David qui me raccompagne à la porte chaque fois qu'il me ramène à la maison. Bon d'accord, il me raccompagne aussi parce que c'est le seul moment où on peut être un peu seuls tous les deux, et que ça doit contribuer à sa motivation.

Bref, Lucy voulait un petit ami comme le mien.

Je ne pouvais pas lui en vouloir ! David EST le petit ami parfait.

Pourquoi ne suis-je pas sympa avec lui alors ?

— C'est juste que..., a repris brusquement Lucy en sanglotant. Il est si intelligent !

Pauvre Lucy. David était bien sûr plus intelligent que Jack, il n'y avait pas de doute là-dessus. Certes, Jack est un artiste talentueux, mais ce n'est pas pour autant qu'il est intelligent. Quand je pense qu'il croyait que Picasso avait inventé le fauvisme. Le fauvisme ! Je ne plaisante pas.

— Oui, c'est vrai, ai-je renchéri.

— Il y a quelque chose de très... séduisant chez un garçon qui sait *tout*, a continué Lucy, à présent au bord des larmes. Jack, lui, PENSE seulement tout savoir.

— Oui, ai-je répété.

Si seulement David avait un frère.

— Dire que, pendant toutes ces années, il a raconté qu'il était un rebelle ! Depuis quand les rebelles ont des parents qui paient pour tout ?

— C'est vrai, c'est tout à fait vrai.

— En fait, Jack est un poseur, voilà tout.

— Oui.

Ce que l'on ne pourrait jamais dire de David. David est qui il est et personne d'autre.

— Je ne veux pas sortir avec un poseur, a ajouté Lucy. Je veux quelqu'un de vrai, avec de vrais sentiments.

Encore une fois, comme David.

— Tu le rencontreras un jour, ai-je dit tout doucement, histoire de la consoler.

— C'est fait. Je l'ai déjà trouvé.

— Attends ! Qu'est-ce que tu viens de dire ?

— Le garçon de mes rêves, je l'ai trouvé, sauf qu'il ne veut pas de moi ! a avoué Lucy en sanglotant.

Puis, avec une longue plainte, elle s'est blottie dans mes bras. J'ai baissé les yeux sur sa chevelure dorée et j'ai dit, sur le ton de quelqu'un qui ne comprenait rien :

— Tu l'as déjà trouvé ? OÙ ?

— Au... au lycée, a-t-elle bafouillé entre deux sanglots.

Même si je savais maintenant qu'elle ne parlait pas de David, j'avoue que j'ai quand même éprouvé un immense soulagement. Qu'elle ne soit pas amoureuse de MON petit ami.

— C'est super, Lucy, ai-je déclaré, encore un peu troublée. Je veux dire, c'est super que tu l'aies trouvé si vite.

— Est-ce que tu as ENTENDU ce que je viens de dire ? a-t-elle hurlé en se redressant brusquement avant de me foudroyer de ses yeux où le rouge se mêlait au trait noir du rimmel. Je t'ai dit qu'il ne voulait pas de moi !

— Non ? Mais pourquoi ? Il a déjà une petite amie ?

— Non, je ne crois pas.

— Alors, il... il préfère les garçons ?

S'il ne sortait pas déjà avec une fille, je ne voyais pas d'autre explication.

— Non plus. Du moins, je ne pense pas.

— Mais pourquoi alors ?

— JE NE SAIS PAS, je viens de te dire. J'ai

TOUT fait pour qu'il me remarque. J'ai porté ma minijupe la dernière fois que je l'ai vu – tu sais, celle que Theresa voulait mettre à la poubelle si elle me voyait avec en dehors de la maison. Et j'ai passé DEUX heures à me maquiller. J'ai même redessiné le contour de mes lèvres. Et tout ça pour quoi ? Pour RIEN, a-t-elle lâché en tapant le matelas de sa main parfaitement manucurée. Il ne sait toujours pas que j'existe. Et quand je lui ai proposé d'aller au cinéma ce week-end, pour aller voir le dernier film avec Adam Sandler, il m'a dit... il m'a dit qu'il AVAIT D'AUTRES PROJETS !

Elle a alors attrapé un coussin et l'a serré contre son visage tout en gémissant.

— C'était peut-être le cas, ai-je suggéré. Peut-être qu'il avait d'autres projets.

— C'est faux, a déclaré Lucy. Je sais que c'est faux.

— Dans ce cas, il t'a répondu ça parce qu'il n'aime peut-être pas Adam Sandler. Beaucoup de gens ne l'aiment pas, d'ailleurs.

— Non, ce n'est pas ça. C'est MOI. C'est MOI qu'il n'aime pas.

— Voyons, Lucy, tout le monde t'aime. Il doit y avoir autre chose. Mais c'est qui, au fait ?

Lucy a secoué la tête en gémissant encore plus fort.

— Qu'est-ce que ça change de savoir qui c'est s'il ne sait même pas que j'existe ?

Et sur cette dernière lamentation, elle s'est jetée en travers du lit et a pleuré à gros sanglots. Je l'ai regardée longuement en essayant de comprendre ce qu'elle venait de m'annoncer. Ma sœur – la meneuse des pompom girls, la vendeuse de chez Mes Dessous Préférés, la déesse aux cheveux blond vénitien, la reine d'Adams Prep – était amoureuse d'un garçon qui ne l'aimait pas.

Non. Ce n'était pas possible. Quel garçon dirait NON à la plus jolie fille du bahut qui l'inviterait à aller au cinéma ? Lucy avait précisé qu'il était intelligent... Personnellement, j'en doutais, sinon il n'aurait pas refusé la proposition de ma sœur. C'est vrai, quoi. À moins que...

Tout à coup, j'ai écarquillé les yeux et j'ai enfin compris ce que Lucy essayait de me dire.

— Lucy ! ai-je hurlé. C'est HAROLD ? Tu aimes HAROLD MINSKY ?

Pour toute réponse, Lucy a pleuré de plus belle.

Je le savais.

— Oh, Lucy, ai-je commencé en essayant de ne pas rire.

Non, il ne fallait surtout pas que je rie. Après tout, Lucy avait vraiment de la peine, elle était bouleversée. Mais ma sœur et HAROLD MINSKY ?

— Tu sais, ai-je repris, Harold ne doit pas être habitué à ce que des filles l'invitent à aller au cinéma. Il ne s'y attendait peut-être tellement pas qu'il ne savait pas quoi répondre, et c'est pour ça qu'il t'a dit qu'il avait d'autres projets.

Elle a relevé la tête et m'a regardée à travers ses larmes.

— Qu'est-ce que tu veux dire par « il ne doit pas être habitué à ce que des filles l'invitent à aller au cinéma » ? Harold est super intelligent. Il doit être invité tout le temps.

Là, c'était VRAIMENT difficile de ne pas éclater de rire.

— Toutes les filles ne sont pas attirées par des garçons comme Harold. En général, les filles préfèrent les garçons bien bâtis, et non les grosses têtes, ai-je répondu.

Lucy m'a jeté un regard outré.

— Qu'est-ce que tu racontes ? Harold est super bien bâti. Je le sais, parce qu'un jour, il s'est renversé de la paella et il a dû enlever sa chemise pour que Theresa la lave, et je l'ai vu, juste en tee-shirt.

Ouah ! Harold devait faire de la muscu dans son garage, parce que ce n'était certainement pas pendant les cours de sport qu'il s'était fait un corps d'athlète.

— J'ai regardé *Hellboy*, a continué Lucy. Je lui ai dit que j'avais regardé *Hellboy*. On a d'ailleurs eu une longue conversation sur la difficulté qu'il y a à défendre les autres contre les forces du mal quand tu es toi-même le prince des ténèbres. Je pensais qu'après ça, il aurait compris...

En entendant sa voix s'estomper, j'ai demandé tout doucement :

— Compris quoi, Lucy ?

— Qu'il ne devait pas me juger d'après mon apparence, a-t-elle murmuré, ses yeux bleus remplis d'indignation. Ce n'est pas ma faute si j'ai le physique que j'ai, pas plus que c'est la faute de Hellboy s'il a ce physique-là. Je ressemble peut-être à une minette, mais je n'en suis PAS une ! Pourquoi Harold ne s'en rend-il pas compte ? POURQUOI ? Liz a bien vu au-delà des cornes de Hellboy.

Jamais je n'avais entendu ma sœur parler avec autant de passion. Même pour défendre les pompom girls. Ou les produits de maquillage de chez Bonne Bell. Ou encore la nouvelle collection de bikinis de chez Mes Dessous Préférés.

Cela me paraissait invraisemblable. Pourtant tout laissait croire qu'elle était bel et bien amoureuse.

Est-ce que Harold avait la moindre idée des sentiments qu'il avait éveillés chez ma sœur ?

— Peut-être..., ai-je déclaré avec prudence, parce qu'une pompom girl amoureuse – même une ex-pompom girl – peut se montrer très versatile, pourrais-tu lui laisser le bénéfice du doute. Qui sait s'il n'a vu qui tu étais vraiment derrière... derrière tes cornes, et qu'il n'en revienne pas qu'une fille aussi sexy que toi tombe amoureuse de lui.

O.K., ce n'était pas très clair, et Lucy n'a pas eu

besoin de me le dire. Rien qu'à son regard ahuri, j'ai compris. Du coup, j'ai choisi une approche bien plus simple.

— Peut-être devrais-tu lui reproposer de sortir avec toi ce week-end ? Tu verras bien ce qu'il te répond.

— Tu crois ? Il m'a peut-être dit non la première fois parce qu'il est juste... timide.

— C'est possible, ai-je fait.

Timide n'était pas vraiment le terme exact. Distrait, peut-être. À moins que Harold n'ait eu tout simplement peur que Lucy n'ait cherché à se moquer de lui.

— À un moment, je pensais que c'était parce que... parce que je suis stupide.

— Oh, Lucy !

Je l'ai regardée, brusquement envahie par un sentiment de pitié. De pitié pour Lucy ! Lucy qui avait toujours eu tout ce qu'elle voulait... jusqu'à aujourd'hui.

Car il y avait de fortes chances pour qu'elle ne se trompe pas. À savoir qu'elle laissait effectivement Harold indifférent parce qu'elle n'était pas... eh bien... major de sa promotion. Mais après tout, qu'avaient-ils en commun, tous les deux ? Lucy connaît tout sur les manches ballon, bouffantes, raglan, kimono, et les jeans Juicy Couture. Harold, lui, est plutôt branché... Gigaoctets.

— Ce n'est évidemment pas la raison, ai-je pourtant rétorqué, même si je n'y croyais qu'à moitié. Bon, d'accord, c'est vrai, tu n'es ni major de ta promotion ni une encyclopédie vivante, comme Harold, mais il y a des tas de choses que tu sais qu'il ne sait pas. Comme... comme...

Sauf que la seule chose à laquelle je pensais, c'était les moyens de contraception. Sûr que Lucy en savait plus dans ce domaine que Harold.

— Dire que j'ai appris par cœur tous ces stupides mots de vocabulaire, a-t-elle déclaré, légèrement amère. *Estuaire*, *plinthe*. J'espérais qu'il se rendrait compte que je faisais des efforts. Je *veux* être aussi intelligente que lui. Comme Hellboy qui veut être bon. Mais Harold n'a rien remarqué. Tout ce qu'il m'a dit, c'est : « Très bien. Maintenant, tu vas apprendre cette seconde liste. »

— Lucy, Lucy, je te promets que tu devrais renouveler ta proposition, ai-je insisté. À mon avis, cela ne l'a pas effleuré un seul instant que tu puisses éprouver quelque chose pour lui. Il doit penser que tu le trouves sympa, c'est tout, ai-je ajouté en essayant d'être la plus convaincante possible.

Lucy a jeté un coup d'œil à mon poster géant de Gwen en robe de mariée – j'avais découpé la photo dans *Us Weekly* et l'avait agrandie sur la photocopieuse de la Maison Blanche – et a soupiré.

— Oui, tu as peut-être raison. Je vais lui redemander s'il ne veut pas aller au cinéma. C'est dingue.

— Qu'est-ce qui est dingue ?

— Eh bien..., a commencé Lucy d'un air songeur. Maintenant, je sais ce que ressentent toutes ces filles au bahut.

— Quelles filles ?

— Celles qui demandent aux garçons de sortir avec elles et qui n'essuient que des refus. Je ne pensais pas que c'était comme ÇA.

— D'être rejetée ? ai-je dit en réprimant un petit sourire. Oui. Ça craint.

— À qui le dis-tu !

Elle a regardé l'heure à sa montre.

— Mon Dieu, j'ai encore dix pages de vocabulaire à apprendre avant de me coucher. Merci pour tes conseils, mais il faut que j'y aille.

Je l'ai appelée au moment où elle passait la porte.

— Lucy ?

Elle s'est arrêtée, a tourné la tête. Elle était tellement jolie malgré les traînées de larmes et les poils de Manet qu'elle n'avait pas tous ôtés.

— Oui ?

— Je suis contente que Jack et toi vous ayez cassé. Tu mérites mieux. Même s'il était... le premier.

— Le premier mais pas le dernier, j'espère.

— Je suis sûre qu'il ne le sera pas. Au fait...

— Quoi ?

— J'imagine que tu sais que l'acteur qui joue le comte de Monte Cristo interprétait aussi Jésus dans le film de Mel Gibson.

Ça a été enfin au tour de Lucy d'être choquée.

— C'est pas vrai ?

— Si. Ce qui signifie que quand tu pensais à lui en... tu vois ce que je veux dire, eh bien, tu pensais en quelque sorte à...

— TAIS-TOI ! s'est-elle écriée avant de se sauver dans sa chambre en courant.

Je ne pouvais décemment pas lui en vouloir. De claquer la porte de sa chambre si fort, je veux dire.

Les dix raisons qui font que ça craint d'être la sœur d'une des filles les plus appréciées du lycée :

10. Quand le téléphone sonne, ce n'est jamais pour vous.

9. Pareil quand ça sonne à la porte.

8. La porte du frigo est recouverte de coupures de presse où l'on parle d'elle. La seule chose vous concernant, c'est une carte du dentiste, avec vos six prochains rendez-vous.

7. Elle reste toujours suffisamment longtemps au téléphone pour vous empêcher d'appeler qui que ce soit.

6. Tout le monde espère qu'un jour, vous aussi, vous ferez partie des pompom girls, et quand

vous déclarez qu'il en est hors de question, on pense que quelque chose cloche chez vous.

5. Elle fait toujours tout avant vous : sortir avec un garçon, apprendre à conduire, voir des films classés « sexe et violence », aller skier en février à Aspen avec une amie et ses parents, etc.

4. Quand les gens vous comparent aux personnages des films de John Hughes, elle est toujours Molly Ringwald, et vous Eric Stoltz. Qui n'est même pas une fille.

3. Il n'y a rien de plus démoralisant pour quelqu'un d'athée comme vous que de devoir écouter votre sœur lire de sa voix aiguë la prière du matin dans le hall du bahut pendant la semaine sainte.

2. Elle a été élue « future reine du bal du lycée ». Vous avez été choisie pour nettoyer la salle d'arts plastiques.

Mais la raison principale qui fait que ça craint vraiment d'être la sœur de l'une des filles les plus appréciées du bahut, c'est que :

1. Vous ne pouvez même pas lui en vouloir. Car en fait elle est sympa.

9

Du coup, je l'ai appelé.

David, je veux dire.

Je ne sais pas pourquoi. En fait, si, je sais. Et ce n'est pas parce que Lucy venait de rompre avec Jack et que d'un seul coup je m'étais rendu compte que David était vraiment quelqu'un de bien comparé à l'ex de ma sœur. Ça, je le savais déjà.

Et ce n'est pas non plus parce que son discours exalté sur Hellboy m'a fait comprendre que l'amour qu'on partage, David et moi – comme celui que Hellboy porte à Liz – est quelque chose de précieux, qu'on ne connaît apparemment qu'une fois dans sa vie. Je le savais aussi.

Non, j'ai appelé David parce que j'ai emprunté un des livres de Lucy et que... j'ai suivi les explications qu'il donnait sur... la façon dont on peut se faire plaisir.

Ça marche !

Ça marche même super bien.

Du coup, l'idée d'aller passer le week-end de Thanksgiving à Camp David m'a paru beaucoup plus intéressante.

Attention, je ne suis pas en train de dire que je suis prête à franchir le pas. Pas du tout. Ça m'angoisse même complètement, mais maintenant que je sais comment... bref, vous avez compris, ça m'intéresse plus qu'avant.

Le problème, c'est que David, lui, paraissait nettement moins intéressé.

Même après que je lui ai assuré que mon silence, ces derniers jours, n'avait rien à voir avec lui. Que c'était moi, moi, toute seule.

— Je te jure, ai-je déclaré. J'ai très envie de... de....

Sauf que j'étais incapable de trouver les mots pour le lui dire. J'ai très envie de *faire l'amour avec toi* ? À moins que je ne reprenne son expression et que je ne dise : J'ai très envie de *jouer au parcheesi* avec toi ?

Bref, comme je ne parvenais pas à trancher, j'ai fini par dire :

— J'ai très envie de... passer Thanksgiving avec toi, David. Je te le promets. Mais qu'est-ce que les gens vont PENSER ? S'ils l'apprennent ?

— Sam..., a répondu David, sur le ton de celui qui a une patience à toute épreuve.

Ce que j'ai trouvé légèrement déplacé de sa part. C'est vrai, quoi. C'est tellement plus facile pour les garçons.

— ... Je ne vois pas du tout de quoi tu parles, a-t-il continué.

Ben voyons. C'était TYPIQUE des hommes.

— C'est juste que c'est plus facilement accepté pour les garçons que pour les filles, ai-je expliqué ou plutôt tenté d'expliquer. Tu comprends ce que je veux dire ?

— Sincèrement, ça fait une semaine que je ne comprends rien à ce que tu me racontes, a-t-il répondu de la même voix lasse qu'il avait depuis le début de notre conversation.

Est-ce que je l'avais blessé à ce point ? Si oui, il fallait vraiment que je m'excuse.

— David, je te demande juste un peu de temps. Ça n'a rien à voir avec toi, crois-moi. C'est comme...

Alors que j'essayais de trouver une façon de lui expliquer ce que je ressentais, j'ai brusquement pensé à Debra Mullins. Je ne sais pas pourquoi, mais je l'ai vue dans sa tenue de danseuse avec ses grands yeux bleus remplis de larmes après une nouvelle attaque de Kris Park.

— C'est comme cette fille au bahut, ai-je donc repris. Il y a une RUMEUR qui court à son sujet, et même si personne n'est sûr de rien, évidemment, elle se fait souvent traiter de toutes sortes de noms. C'est horrible, ce qu'elle vit. La pauvre.

— Hum, hum, a fait David.

— Et dans ton école ? Il doit se passer la même chose, non ?

— Euh..., je ne sais pas. J'imagine, oui.

— Tu *imagines* ? ai-je répété, la voix brisée tellement j'étais choquée.

— Je ne sais pas. Je n'ai jamais rien remarqué, en tout cas.

Je n'arrivais pas à croire que ça se passe autrement à Horizon. Mais apparemment, si. Horizon était le paradis des établissements privés tandis qu'Adams Prep était... l'enfer.

— Et le Droit Chemin ? ai-je demandé.

— Le Droit Chemin ? Tu veux parler de ce club qu'a fondé ta copine Kris Park ?

— Oui, ai-je répondu sans prendre la peine de lui préciser que Kris Park n'était PAS ma copine, puisqu'il le savait déjà. Du moins, il devrait le savoir vu le nombre de fois où je m'étais plainte de Kris Park en sa présence.

— Parce que ça finit par se savoir, David, ai-je poursuivi en me demandant comment j'allais bien pouvoir lui faire comprendre. Même si tu es très discret, ça finit TOUJOURS par se savoir. Et à partir du moment où ça se sait, elles ne te lâchent plus.

Kris Park et ses acolytes, je veux dire. Sauf si tu fais partie de l'élite, comme Lucy. Ce qui n'est pas mon cas. Bien sûr, j'ai sauvé la vie de ton père et je passe à la télé, mais je ne fais pas partie de l'élite d'Adams Prep. Je ne fais partie d'aucune élite, du reste. Du coup, dès la semaine prochaine, je serai leur prochaine cible.

— La cible de qui ?

Là, j'ai vraiment cru que ma tête allait exploser.

— La cible de Kris Park ! ai-je rétorqué.

— Mais qu'est-ce que tu en as à faire de ce que pense cette fille ? Tu ne l'apprécies même pas.

— C'est vrai, mais...

— Et qui est-elle pour se permettre de juger les autres ? Fait-elle partie des élèves les plus brillantes de ton lycée ?

— Non, mais...

— C'est bien ce que je pensais. Parce que, si elle était vraiment aussi brillante que ça, elle saurait que les campagnes qui prônent l'abstinence ne marchent pas.

— Pardon ? Tu peux répéter.

— Ça ne marche pas. Les élèves qui ont suivi les campagnes « Il suffit de dire non » courent autant de risques que les autres de prendre de la drogue ou de boire de l'alcool, car ces campagnes font appel à une peur collective à laquelle aucun adolescent bien dans sa peau ne céderait. N'importe quel crétin sait qu'on ne finit pas junkie si on a tiré une fois dans sa vie sur un joint.

— Oui, bien sûr, ai-je répondu – car si c'était vrai, toutes les stars d'Hollywood seraient junkies, si on en croit ce qui se passe lors des soirées organisées pour la sortie d'un film.

— En fait, avec ce genre de campagne, les gens qui font des expériences en essayant tout ce à quoi ils sont censés dire non – et fais-moi confiance, ils sont nombreux –, se retrouvent complètement démunis et incapables de gérer la situation. C'est comme les couples qui prônent la chasteté. Le jour où ils font l'amour, car ils finissent tous par le faire, eh bien, ils le font sans se protéger, car ils n'ont pas de protection sur eux puisqu'ils étaient censés dire non au départ. Tu comprends ? Ça ne marche pas.

J'ai failli lâcher le téléphone.

— C'est... c'est vrai ?

— Tu crois que l'OMS a tout inventé ? Ce sont eux qui ont mené cette étude. Je ne sais pas où ta copine du Droit Chemin trouve ses informations.

— Je ne sais pas non plus, ai-je rétorqué encore sous le choc des révélations de David.

— Bon. Ça va mieux, maintenant ?

— Super ! me suis-je exclamée gaiement.

Vivement que Kris Park s'en prenne de nouveau à Debra ! Car j'allais lui ressortir les conclusions de l'étude de l'OMS !

— Au fait, a continué David, tu as demandé à tes parents pour Thanksgiving ?

Oui ! Et ils ont dit oui !

Je voulais répondre ça, je vous le jure. Enfin, une partie de moi voulait répondre ça.

Parce que l'autre voulait répondre : *NON ! O.K. ? Non, je ne sais toujours pas quoi faire. Ce n'est pas une décision facile à prendre et même si je m'y résous doucement, j'ai encore besoin de temps. Je t'aime de tout mon cœur et je suis certaine que tu es l'homme de ma vie, mais je n'ai que seize ans et demi. Il y a encore des figurines de* La Guerre des étoiles *sur mes étagères et je ne suis pas sûre de vouloir m'en débarrasser tout de suite.*

Bref, j'ai répondu :

— J'ai oublié.

... tout en croisant les doigts.

— Oh, a fait David, légèrement déçu, mais pas autant que je l'aurais imaginé. Préviens-moi dès que tu sais. Ma mère voudrait savoir si elle doit commander une grosse dinde ou pas.

Était-ce un message codé pour dire : « J'ai besoin de savoir combien de préservatifs acheter » ? J'ai failli lui dire de ne pas se faire de souci à ce sujet mais un bip me signalant qu'un autre correspondant cherchait à me joindre a brusquement retenti.

— Excuse-moi, David, mais on m'appelle sur l'autre ligne.

Qui cela pouvait-il bien être ? À part David, la seule personne qui connaisse mon numéro de portable, c'est Catherine, et ses parents l'obligent à aller se coucher à onze heures les soirs de la semaine.

— O.K., a répondu David. On se voit demain, de toute façon.

— Demain ?

C'était le jour de l'allocution du président sur le « retour aux valeurs familiales ».

— Tu viens ? ai-je demandé. Avec ton père ?

— Eh bien, oui, a répondu David. Mais je te rappelle qu'on a cours avec Susan Boone avant.

Ah oui, le cours avec Susan Boone. Avec Terry plutôt ! Comment aurais-je pu oublier Terry ! Terry qui posait nu comme un ver.

— C'est vrai, oui. À demain, alors.

Et je suis passée sur l'autre ligne.

— Allô ?

— Sam ?

Dauntra avait hurlé mon nom, et d'après le bruit de fond, j'ai pensé qu'elle m'appelait d'une boîte de nuit. Où un meurtre venait d'être commis.

Ce qui, connaissant Dauntra, était tout à fait possible.

— Dauntra ?

Est-ce qu'elle m'entendait ? Mais d'abord, OÙ était-elle ? C'est alors qu'une pensée horrible m'a traversé l'esprit.

— Dauntra, tu es encore en PRISON ?

— Non, a-t-elle répondu en éclatant de rire. Je suis chez un copain. Je t'appelais pour te remercier de m'avoir remplacée, l'autre soir. J'ai une dette envers toi !

— Oh, laisse tomber. J'espère que ça n'a pas été trop dur en prison.

— Tu plaisantes. C'était GÉNIAL. Je leur ai demandé de me garder ma couchette au chaud car j'ai bien l'intention d'y retourner bientôt. Mais ne t'inquiète pas, je sortirai à temps pour aller bosser le vendredi soir. Au fait, tu vas chez ta grand-mère pour Thanksgiving ? Tu seras de retour avant vendredi ?

— Euh..., ai-je commencé, je ne sais pas. Si je vais chez ma grand-mère, je veux dire.

J'ai failli lui demander une fois de plus ce qu'elle ferait à ma place... et puis, j'ai renoncé. De toute façon, je connaissais déjà la réponse. Dauntra le ferait, elle.

— Je n'ai pas encore décidé, ai-je ajouté.

— En tout cas, ça ne sera pas pareil sans toi, a déclaré Dauntra.

Au même moment, j'ai entendu quelqu'un pousser un cri derrière elle et hurler :

— Kevin ! Arrête !

— Dauntra ? ai-je dit tout bas. Tout va bien ?

— Oui, oui, a fait Dauntra en gloussant. C'est juste Kevin qui s'amuse à piétiner la pizza.

Je ne me suis même pas donné la peine de lui demander ce que cette pizza faisait par terre. J'avais déjà suffisamment l'impression d'être idiote quand je parlais à Dauntra.

— Écoute, a-t-elle repris, je pensais à quelque chose. On devrait faire un sit-in au boulot. Pour protester contre la fouille de nos sacs.

— Tu crois ?

— Mais oui ! Ça serait drôle !

— Je ne suis pas sûre qu'un sit-in soit le moyen le plus efficace pour se faire entendre, ai-je déclaré.

Je ne supportais pas l'idée d'être celle qui dissipait ses illusions, d'autant plus qu'à bien des égards, je rêvais d'être comme Dauntra. C'est vrai, quoi. Dauntra se fiche du qu'en-dira-t-on. Ce qui n'est pas mon cas.

— Sans compter qu'on pourrait se faire virer, ai-je ajouté.

— Tu as sans doute raison. Dommage. Mais bon, on trouvera bien autre chose.

— Oui. Il faut que je te laisse.

— O.K. À demain soir, alors, a-t-elle répondu en même temps que quelqu'un, dans son dos, criait à nouveau :

— Kevin !

Bizarre, ai-je pensé en raccrochant. Non que les

amis de Dauntra s'en prennent à ce Kevin, mais qu'elle m'ait dit « À demain soir ». Parce qu'on ne se verrait pas demain soir, puisque je passais sur MTV pour l'émission sur le « retour aux valeurs familiales ».

Les dix meilleures raisons qui me font dire qu'il vaut mieux être adolescent aux États-Unis que n'importe où ailleurs :

10. Vous avez peu de chance de faire partie des deux cent cinquante millions d'enfants dans le monde âgés de quatre à quatorze ans qui travaillent à plein temps (à moins d'avoir des parents comme les miens. La seule raison pour laquelle ils ne m'obligent pas à travailler quarante heures par semaine au lieu de six, c'est parce que c'est interdit par la loi. Ouf).

9. Tous les ans, trois cent mille enfants sont forcés par leur gouvernement ou par des partis rebelles à servir comme soldats dans des conflits armés. Avec des mitraillettes et tout ça (en même temps, quel gouvernement confierait à

ma sœur une mitraillette ? À tous les coups, elle s'en servirait comme d'un fer à friser).

8. Les punitions corporelles ont été abolies tandis que, dans beaucoup de pays, il est encore tout à fait admis que des professeurs fouettent leurs élèves parce qu'ils sont en retard ou répondent mal à une question (cela dit, ça réduirait un maximum les absences non justifiées à Adams Prep et on apprendrait enfin quelque chose en cours).

7. Cent trente millions d'enfants vivant dans des pays développés ne sont pas scolarisés. Il s'agit en majeure partie de filles (bien que je déteste l'école, je dois reconnaître que c'est NÉCESSAIRE d'y aller. Ne serait-ce que pour avoir un meilleur travail que ce que je fais chez Potomac Video. Et puis, six dollars soixante-quinze de l'heure, c'est franchement pas beaucoup).

6. Dans certains coins du Moyen-Orient et d'Inde, si vous êtes une fille et qu'on vous surprenne en train de flirter avec un garçon que vous avez rencontré dans la galerie marchande, vos frères ou vos oncles peuvent vous tuer et ne pas être inculpés car ce qui sera retenu de cette histoire, c'est que vous avez déshonoré votre famille. Si

Lucy avait vécu en Arabie saoudite, par exemple, elle n'aurait pas raté son examen blanc car elle serait morte avant.

5. Il arrive que des filles de sept ans soient obligées de se marier dans certains pays d'Afrique sub-saharienne, où quatre-vingt-deux millions de filles se retrouvent mariées avant dix-huit ans, qu'elles le veuillent ou non – la plupart ne le veulent pas. (Aux États-Unis, cela n'arrive que dans l'État de l'Utah. Et peut-être aussi dans certains coins des Appalaches.)

4. Globalement, environ douze millions d'enfants de moins de cinq ans meurent tous les ans, la plupart de causes qui pourraient facilement être évitées. Cent soixante millions d'enfants souffrent de malnutrition (et pas parce qu'ils ne se nourrissent que de Choco Pops, comme je le ferais si on m'y autorisait).

3. À Singapour, il faut être en possession d'un permis spécial pour mâcher du chewing-gum en public. Si on ne l'a pas et qu'on se fasse prendre avec un chewing-gum dans la bouche, on peut être fouetté publiquement (cela dit, s'il fallait aussi un permis ici, aux États-Unis, pour

mâcher du chewing-gum, les couloirs du métro seraient peut-être plus propres).

2. Afin de combattre nombre de ces abus, les Nations unies ont adopté la Convention internationale des Droits de l'enfant, qui est un traité dont le but est de défendre les droits des enfants et d'imposer des règles pour la protection de leurs droits. Deux pays s'opposent à ce que ce traité soit signé. L'un est la Somalie, l'autre les États-Unis. Pourquoi ? Parce que la droite religieuse refuse de financer les aides à l'avortement des filles violées lors d'un conflit.

Mais la raison principale qui me fait dire qu'il vaut mieux être adolescent aux Etats-Unis, c'est :

1. Que c'est l'un des rares pays au monde où l'on peut critiquer quelque chose – par exemple, l'un des points que je viens de soulever dans ma liste – sans être jeté en prison pour autant.
   À moins de s'appeler Dauntra et qu'on ne donne son avis en s'asseyant par terre dans des lieux publics.

10

David était arrivé à l'atelier de Susan avant moi, et disposait ses crayons devant lui quand je suis entrée.

Dès que je l'ai vu, mon cœur a fait un bond, comme chaque fois que je le vois. Et dès qu'il a levé les yeux et que nos regards se sont croisés, mon cœur s'est emballé de plus belle.

— Salut ! a-t-il lancé. Ça fait un bail qu'on ne s'est pas vus.

On aurait dit qu'une corde invisible nous reliait, car d'un seul coup, je me suis retrouvée propulsée vers lui jusqu'à ce que mes bras entourent sa tête et que je serre son visage contre mon ventre, vu que je ne lui avais pas laissé le temps de se lever.

— Content de te voir, a-t-il murmuré d'une voix étouffée par mon tee-shirt.

— Excuse-moi.

Je me suis écartée, j'ai libéré sa tête – à contrecœur, j'avoue – et je me suis assise sur le banc à côté de lui.

— Tu m'as tellement manqué, ai-je ajouté. Je m'en rends compte, là, maintenant, quand je te vois.

— Voilà qui est très flatteur, s'est-il moqué avant de se pencher vers moi et de me souffler à l'oreille : Toi aussi, tu m'as manqué.

On s'est embrassés, ensuite.

Longtemps. Très longtemps.

Pendant si longtemps que la salle s'est remplie sans qu'on s'en aperçoive, et si Susan Boone ne s'était pas éclairci la voix, de façon assez bruyante, je dois dire, on aurait continué. On s'est aussitôt écartés l'un de l'autre d'un air coupable et j'ai vu Terry, qui s'allongeait confortablement sur l'édredon de satin posé sur l'estrade, cette fois dans une position plutôt langoureuse.

Il m'a fait un clin d'œil – je parle de Terry. Sans doute à cause de la petite conversation qu'on avait eue tous les deux, la dernière fois – tandis que Susan s'activait derrière lui et arrangeait l'édredon.

Du coup, je lui ai rendu son clin d'œil. Que peut-on faire d'autre quand un type nu vous fait un clin d'œil, hein ?

Cela dit, ça ne me mettait plus dans tous mes états. De voir un type nu, je veux dire.

Enfin, je crois. C'est-à-dire que je ne me SENTAIS pas dans tous mes états.

Mais j'imagine que je devais donner L'IMPRESSION de l'être car au bout d'une heure et demie, Susan Boone est venue me voir et m'a demandé tout bas si ça allait.

J'ai levé les yeux. Je voyais un peu flou, comme chaque fois qu'on me dérange quand je dessine.

— Oui, tout va bien, ai-je répondu. Pourquoi ?

J'avais à peine fini ma phrase que tout à coup, une idée m'a traversé l'esprit. Et si Susan Boone ne faisait pas allusion à ce qui s'était passé au dernier cours, quand j'avais flippé en voyant Terry nu ? Si elle parlait d'autre chose – par exemple, comment je me sentais à l'idée de faire l'amour avec David ? Après tout, c'est une artiste et, en tant que telle, elle est beaucoup plus sensible que, disons, ma mère ou mon père. Du coup, elle avait peut-être tout deviné ? Est-ce que c'est à ÇA qu'elle pensait ?

Qu'est-ce que je devais lui répondre, dans ce cas ?

— Je me demandais, c'est tout, a poursuivi Susan tout en observant mon dessin. Tu sembles tenir tellement à représenter ton personnage que j'ai peur que tu ne négliges le reste.

Effectivement, mon portrait de Terry était d'un très grand réalisme. Et c'est vrai aussi qu'on avait l'impression qu'il se tenait, là, au milieu de nulle part.

— Dessiner, c'est comme construire une maison, Sam. Tu ne peux pas commencer par accrocher les rideaux. Tu dois d'abord construire les fondations.

Elle m'a pris mon crayon des mains et a ajouté quelques détails à l'arrière-plan.

— Ensuite, tu t'occupes du plancher, a-t-elle continué en dessinant le banc, derrière Terry.

Tout à coup, Terry ne donnait plus l'impression de flotter en l'air.

— Tu dois construire ta maison à partir du sol, petit à petit, en commençant par tout ce qui est ennuyeux, comme la plomberie, l'électricité. En représentant tous ces petits détails – à ce moment-là, elle a pointé de la mine du crayon le portrait de Terry –, tu t'occupes de la décoration avant même d'avoir ta maison. Il ne faut plus que tu te concentres sur les *différentes parties* de ton modèle, a-t-elle ajouté. Tu dois le considérer *dans son ensemble.*

Susan avait raison. Je m'étais tellement appliquée à rendre le visage de Terry à la perfection que j'en avais oublié le reste. Du coup, on ne voyait qu'une tête sur une grande feuille vide.

— J'ai compris, ai-je dit. Je crois que je me suis laissé... emporter.

Susan a lâché un soupir.

— J'espère ne pas avoir commis une erreur en vous proposant, à David et à toi, de participer à ce cours. Je pensais que vous étiez prêts.

Je l'ai foudroyée du regard.

— On *est* prêts. *Je* le suis, et David aussi. On est prêts tous les deux.

— J'espère, a répété Susan.

Elle a eu l'air légèrement inquiet, puis a posé sa main sur mon épaule.

— J'espère vraiment, a-t-elle redit encore une fois avant de s'éloigner.

Qu'est-ce qu'elle racontait ? Qu'on n'était pas prêts ? Pas prêts pour le modèle vivant ? Un peu que j'étais prête ! J'allais lui montrer, même, et tout de suite !

Pendant les quinze dernières minutes du cours, je me suis déchaînée sur mon dessin. J'ai accroché Terry à l'arrière-plan et je me suis concentrée sur l'ensemble et non sur les détails. Susan Boone allait voir si je n'étais pas prête !

Sauf que je n'ai pas eu le temps de finir. Aussi, quand l'heure de la critique a sonné, Susan s'est contentée de secouer la tête devant mon dessin posé sur le rebord de la fenêtre.

— Comme je te l'ai dit, Sam, tu nous as fait un portrait très réaliste de Terry, mais il est encore trop suspendu dans le vide.

Je ne voyais pas du tout de quoi elle parlait. Et puis, après tout, on s'en fichait de l'arrière-plan. Ce qui comptait, c'était le sujet du dessin.

En tout cas, c'est ce que pensait Terry. Il s'est approché, a regardé mon travail et a dit :

— Tu comptes le garder ?

J'avoue que je ne savais pas trop quoi répondre. En

vérité, j'avais été sur le point de le jeter à la poubelle. Mais j'hésitais, car cela aurait signifié que je ne pensais pas qu'un portrait de Terry méritait d'être encadré et exposé au-dessus de ma cheminée – comme s'il n'était pas assez beau, par exemple. Terry, je veux dire. Car même si je trouvais qu'il exerçait un drôle de métier, je ne voulais pas le vexer.

— Pourquoi ? ai-je demandé.

C'est toujours une bonne réponse à donner, et qui n'expose à aucun risque en plus.

— Parce que si tu ne le veux pas, je le prends.

J'étais touchée. Plus que touchée. Flattée. Terry aimait bien le portrait que j'avais fait de lui ! Même s'il donnait l'impression d'être « suspendu dans le vide ».

— Oh, bien sûr, ai-je répondu en le lui tendant. Prends-le, il est à toi.

— Cool, a-t-il fait.

Puis, remarquant qu'il ne portait pas le nom de l'artiste, il a ajouté :

— Tu ne veux pas me le signer ?

— Si.

Et je me suis exécutée.

Terry a regardé ma signature.

— Génial ! Maintenant j'ai un dessin de la fille qui a sauvé la vie du président.

À ce moment-là seulement, j'ai compris que c'était ça qu'il voulait – mon autographe sur un portrait de lui, nu. Peut-être même qu'il n'aimait pas du tout mon dessin.

Mais bon. C'est mieux que rien, non ?

— Alors ? a fait David en me rejoignant devant l'évier où je me lavais les mains. Tu es prête ?

J'admets que j'ai presque bondi. Non pas parce qu'il m'a surprise, mais à cause de sa question.

— Je n'ai toujours pas trouvé le bon moment pour le leur demander, ai-je répondu en me tournant vivement vers lui. Je suis désolée, David. Je t'ai dit que c'était de la folie à la maison en ce moment à cause de Lucy, de ses cours particuliers et...

David m'a dévisagée comme si brusquement des cornes me poussaient sur la tête.

— Je parlais de l'émission télé, tout à l'heure, à ton lycée. Mon père m'a dit qu'on passerait te prendre.

— Oh ! ai-je fait en riant nerveusement. Ça ! Oui ! Non, pourquoi je serais nerveuse ?

— Pour rien, a dit David, le regard pétillant. Après tout, il ne s'agit que de MTV. Des milliers de gens te regarderont, c'est tout.

En fait, j'avais tellement d'AUTRES soucis en tête que je n'avais pas pris le temps d'y réfléchir. Qu'est-ce que j'allais bien pouvoir dire ? J'avais lu la doc que le porte-parole m'avait donnée et j'avais même fait quelques recherches de mon côté, mais...

La vérité, c'est que j'étais beaucoup plus nerveuse

au sujet de Camp David et de ce que j'allais y faire ou ne pas faire qu'au sujet de mon intervention après l'allocution du président.

— Oh, ai-je dit, je ne m'inquiète pas. Ça va aller. Ça se passe toujours bien.

Ce qui était vrai. Je n'ai jamais eu aucun problème quand je participe à une émission de télé avec le père de David. Attention, je ne suis pas en train de raconter qu'on est tout le temps sur les plateaux, mais ça nous est arrivé, pour les discours des Nations unies ou une soirée organisée pour collecter des fonds.

Bref, ça s'est toujours bien passé. Pourquoi ça se passerait mal, cette fois ?

C'est ce que je pensais jusqu'à notre arrivée devant Adams Prep. Des protestataires s'étaient amassés devant le lycée.

À ce moment-là, j'ai su que ce ne serait pas du tout pareil que de prendre la parole devant de riches magnats du pétrole dans la salle de bal d'un grand hôtel. Parce que jamais les magnats du pétrole ne cherchent à s'attaquer à votre voiture – heureusement que les forces de l'ordre étaient là pour les en empêcher – quand vous arrivez avec votre petit ami.

Comme ils ne brandissent pas de panneaux sous votre nez sur lequel ils ont écrit : MA VIE SEXUELLE NE REGARDE QUE MOI.

Ou ne vous accusent pas de trahir votre génération quand vous tentez de sortir de votre voiture, entourée par des agents des services secrets et des policiers casqués et portant bouclier.

Ou n'essaient pas de vous frapper avec un vieux sandwich à la dinde au moment où vous courez jusqu'à votre école qui a été, pour la soirée, transformée en zone de combat – à savoir eux contre vous.

Mais vu qu'il en a toujours été ainsi à Adams Prep – à savoir eux contre moi – , ça ne m'a pas vraiment étonnée.

En fait, il n'y a qu'une chose qui m'a fait tiquer : c'est d'être sûre d'avoir repéré, au milieu de cette horde de protestataires, une fille aux cheveux noir d'ébène et flamant rose.

Les dix choses qui craignent vraiment quand on passe à la télé :

10. Si vous êtes invitée à participer à un talk show ou aux informations, sachez que la personne qui vous interviewe lit sur un téléprompteur ce qu'il ou elle vous dit. Pas vous. Vous, vous devez vous débrouiller toute seule. Tant pis si on vous pose une question à laquelle vous ne savez pas répondre.

9. Votre visage dans le monitor ? Oui, oui, c'est bien comme ça, avec une tête aussi énorme, que les téléspectateurs vous voient.

8. Les cinq minutes avant de passer à l'antenne ? Vous êtes là et vous avez tellement peur que vous avez envie de vomir, tandis qu'autour de vous, tout le monde s'affaire et semble bien

s'amuser. Pourquoi ? Parce que EUX ne passent pas à l'antenne. Qu'est-ce qu'ILS en ont à faire, alors ?

7. La maquilleuse ou la coiffeuse ? Quoi que vous disiez, elle fera à son idée. Conclusion, vous ne ressemblerez pas du tout à ce que vous êtes dans la vraie vie, et votre grand-mère vous téléphonera après avoir vu l'émission pour vous demander si vous avez l'intention d'être un clone de Paris Hilton.

6. L'animateur et/ou le journaliste vous ignorera sauf quand la caméra sera sur vous, et alors il/elle fera comme si vous étiez les meilleurs amis de la terre. C'est comme ça, il faut faire avec.

5. Même si on vous a assuré le contraire, la nourriture qu'on vous servira avant l'émission sera essentiellement composée de ce que vous détestez le plus... dans mon cas, des tomates.

4. Vous n'aurez pas de loge personnelle mais vous serez obligée de partager les toilettes pour dames avec deux finalistes du concours de crochet de Pennsylvanie qui vous répéteront tellement qu'elles sont super-nerveuses que vous aurez envie de les étrangler.

3. Il y aura forcément quelqu'un de l'équipe technique qui appellera son neveu ou sa nièce et vous demandera de lui dire bonjour au téléphone, parce que vous êtes la fille qui a sauvé le président, et que son neveu ou sa nièce vous adore.

2. Mais quand vous prendrez le téléphone, vous vous rendrez compte que le neveu ou la nièce ne sait pas du tout qui vous êtes.

Mais ce qui craint le plus quand on passe à la télé, c'est que :

1. Vous aurez envie de mourir quand vous vous remémorerez vos propos, une fois que vous serez hors antenne.

11

— Je suis tellement excitée, n'arrêtait pas de dire Kris Park.

Franchement, elle aurait pu se dispenser de me le faire savoir. Rien qu'à la façon dont elle sautillait et me pinçait le bras, je l'avais deviné.

J'imagine que j'aurais dû être excitée, moi aussi. Après tout, c'était MON lycée que le président des États-Unis avait choisi pour s'adresser à tous les jeunes Américains.

Mais comme je ne l'aime pas particulièrement, mon lycée, ce n'était pas facile de faire preuve d'enthousiasme à l'idée qu'Adams Prep allait connaître sa minute de gloire... enfin, ses quarante minutes, publicités comprises.

Sans compter qu'à l'extérieur du bahut plusieurs

centaines de personnes n'avaient pas l'air très emballées par ce qui allait s'y dire.

Mais Kris n'était pas tant excitée par le fait que l'université qu'elle visait allait enfin entendre parler d'elle. Non, elle était folle de joie à l'idée de rencontrer le président... et Random Alvarez, le présentateur hyper-sexy des clips vidéo sur MTV.

— C'est LUI ! s'écriait-elle toutes les cinq secondes. Oh ! Il est tellement intelligent !

De temps en temps, quand elle ajoutait : « Qu'est-ce qu'il est sexy ! », je savais alors de qui elle parlait. Intelligent, c'était pour le président. Sexy, pour Random Alvarez. Ils étaient tous les deux entre les mains des coiffeuses et des maquilleuses.

— Ça ne va pas, ai-je entendu Random dire à la coiffeuse qui s'occupait de lui. Ça rebique de partout !

— Mais c'est comme ça que ça doit être, a répondu celle-ci. Les ados se coiffent tous de cette façon.

Random s'est tournée vers moi.

— Pas elle.

La coiffeuse m'a jeté un coup d'œil. Je l'ai vue sursauter comme si elle s'était fait piquer par une abeille.

— Oui, bien sûr, mais c'est son style à elle, a-t-elle dit à Random.

Merci ! Je ne suis pas si mal coiffée que ça, tout de même !

Si ?

Cela dit, le président n'avait pas eu l'air d'apprécier quand il m'avait vue. Après m'avoir considérée longuement, il avait haussé les épaules en me demandant d'une drôle de voix :

— C'est permanent ?

— Semi.

— Je vois. Et vous êtes censée ressembler à...

Ne prononcez surtout pas le nom de Ashlee Simpson, lui avais-je intimé, mais dans ma tête.

— ... à une punk ? avait-il ajouté.

— Non. Je suis censée ressembler à moi-même.

— Mais...

Le père de David avait sans doute estimé qu'il valait mieux ne pas me dire ce qu'il envisageait de me dire car il avait alors levé les yeux au ciel et s'était tourné vers la maquilleuse qui lui poudrait le nez. Et ne m'avait plus regardée après.

Ce qui m'avait fait comprendre qu'on ne peut pas plaire à tout le monde tout le temps.

Mais on peut plaire à CERTAINES personnes à CERTAINS moments.

— Je n'en reviens pas de vous rencontrer, m'a dit la coiffeuse qu'on m'avait désignée tout en essuyant mon front luisant.

Ce n'est pas évident de ne pas transpirer quand on sait qu'on va passer à la télé.

— Vous êtes... vous êtes l'une de mes idoles. La

façon dont vous avez sauvé le président, quand même ! C'est si impressionnant !

— Merci.

— C'est un véritable honneur de m'occuper de vous, a-t-elle continué en souriant. Vous savez que vous êtes un modèle pour beaucoup de filles ?

— Ouah ! ai-je fait. Merci encore.

Un modèle ? Qui envisageait de coucher avec son petit ami un jour de fête nationale ?

— Mais quel dommage ! s'est-elle exclamée tout à coup.

Quelle horreur ! Est-ce qu'elle venait de lire dans mes pensées ? Est-ce qu'elle SAVAIT quelque chose ? Sur David et moi ? Il paraît que les coiffeurs peuvent lire dans les pensées de leurs clients rien qu'en touchant leurs cheveux...

— Cette teinture, a-t-elle ajouté. Vous auriez dû laisser faire un professionnel.

Une fois qu'elle a terminé, je suis allée m'asseoir sur la chaise qui m'était destinée tandis qu'autour de moi, tout le monde courait dans un état de grande nervosité. Enfin, tout le monde sauf Random Alvarez et le président.

— Mon Dieu ! Mon Dieu ! s'est écriée Kris Park.

Elle venait de me rejoindre et une fois de plus me pinçait le bras.

— Tu crois qu'il acceptera de me donner un autographe ?

— Qui ?

— Le président ou Random. Ou les deux. Je m'en fiche.

— Le président, oui, ai-je répondu parce que je savais qu'il le ferait. Quant à Random, mystère. C'est la première fois que je le rencontre.

— Je vais aller me présenter. Avant le début de l'émission. Tu ne crois pas ? Après tout, je fais partie des invités. C'est la moindre des politesses, non ? Qu'est-ce que tu en penses ? Je leur dis juste bonsoir et bienvenue à Adams Prep. C'est ça qu'il faut que je fasse, hein ?

J'ai haussé les épaules. En vérité, je me fichais un peu de ce que faisait Kris. J'avais d'autres problèmes.

Comme celui de voir brusquement entrer toute ma famille dans le gymnase et aller s'asseoir à côté de David et de la première dame des États-Unis. J'ai bien dit TOUTE ma famille, c'est-à-dire mes parents ET Lucy et Rebecca. Je me suis précipitée vers eux, et j'ai demandé à ma mère :

— QU'EST-CE QUE VOUS FABRIQUEZ ICI ?

Elle m'a regardée comme si j'avais perdu la tête.

— Tu ne t'attendais tout de même pas à ce qu'on rate ton intervention télévisée ?

— Mais vous auriez pu rester à la maison et la regarder à la télé ? C'est du direct, vous n'auriez rien raté.

— Sam, a fait ma mère, légèrement vexée. L'allocution du président porte sur la famille et l'importance de passer du temps ensemble. Ne serait-ce pas hypocrite de notre part de ne pas être là pour te soutenir ?

Je n'y avais pas pensé. Effectivement, elle avait raison.

Mais c'est clair que, même s'ils étaient venus, me soutenir n'était pas vraiment leur priorité. Mon père parlait dans son téléphone portable – parce que quelque part dans le monde, il y a TOUJOURS une banque ouverte –, Rebecca lisait un ouvrage sur la théorie du chaos, ma mère ne cessait de vérifier son emploi du temps sur son Palm et Lucy tendait le cou et scrutait le public du regard, à la recherche de ses amis.

Mais lorsque j'ai vu qu'elle ne s'arrêtait pas sur Tiffany Shore et Amber Carson, j'ai compris que ce n'était pas du tout ses amis qu'elle cherchait, mais Harold Minsky. Qui n'était pas là, sans doute parce que l'enregistrement d'une émission, même dans l'enceinte de son lycée, et même s'il s'agissait d'une allocution du président des États-Unis, devait moins l'intéresser qu'un documentaire ou un film sur la chaîne science-fiction.

Cela dit, il n'y avait pas que la présence de toute ma famille ici qui me tracassait.

Je n'arrêtais pas de me demander si c'était bien Dauntra que j'avais vue dehors, avec les autres protestataires. Qu'est-ce que cela allait changer dans nos relations ? Allait-elle me haïr parce que je soutenais le projet du père de mon petit ami ?

Quand je suis retournée à mon siège devant les caméras – qui ne tournaient pas encore –, j'ai vu que Kris avait fini par rassembler tout son courage pour aller se présenter aux deux hommes de la soirée – le père de David et Random Alvarez. Elle serrait vigoureusement la main de Random, ne remarquant manifestement pas son air légèrement agacé. Random n'était pas content de sa coiffure.

— Fais en sorte de te casser l'autre bras, cette fois, a brusquement soufflé David à mon oreille.

— Très drôle.

David me dit toujours ça quand je suis sur le point de passer à l'antenne, parce que c'est en me cassant le bras qu'on s'est rencontrés – le jour où j'ai sauvé son père d'un attentat.

Il m'a embrassée sur la joue et a ajouté :

— Ne t'inquiète pas. Tu vas être formidable. Tu es toujours formidable.

— Merci, ai-je dit – même si je n'en croyais pas un mot.

— Au fait, il faut que tu rencontres Random Alvarez !

— Il est trop frimeur pour moi.

— Ce n'est pas ce qu'a l'air de penser ton amie Kris Park.

J'ai regardé du côté de Kris. Elle riait à une remarque de Random (à tous les coups, quelque chose du genre « Au moins, je suis mieux coiffée que cette fille, là-bas »). Je l'ai vue ensuite poser la main sur le torse de Random, comme pour lui dire : « Arrêtez ! Vous allez me faire mourir de rire tellement vous êtes drôle ! » Sauf que c'était clair qu'elle ne cherchait qu'une chose : toucher son torse.

Apparemment, cela ne devait pas déranger ce dernier tant que ça car il s'est penché en avant et a murmuré quelque chose à l'oreille de Kris, qui a aussitôt piqué un fard tout en hochant la tête énergiquement. Après quoi, Random lui a donné une tape sur les fesses.

Je ne plaisante pas.

Une tape sur les fesses.

J'ai levé les yeux vers David.

— Ouah ! ai-je fait, incapable de tout autre commentaire.

— Qu'est-ce qu'elle a, Lucy ? m'a demandé David en jetant un coup d'œil à ma sœur qui continuait de chercher l'amour de sa vie dans le public.

— Elle guette Harold.

J'avais profité du trajet en voiture entre l'atelier de Susan Boone et le lycée pour tout lui raconter au sujet de Lucy et de Harold Minsky. David avait acquiescé d'un air solennel et répondu :

— Oui, bien sûr. Elle a le béguin pour lui parce

que c'est le seul garçon sur terre à ne pas s'intéresser à elle. Ce que je comprends.

— Quoi ?

— Pour quelqu'un comme Lucy, qui a l'habitude d'avoir tous les types qu'elle veut sans faire le moindre effort, un garçon qui lui dit non doit être une nouveauté. C'était à parier qu'elle allait craquer pour lui.

Je dois avouer que je n'avais pas réfléchi à la question sous cet angle. Mais l'analyse de David avait du sens.

— En fait, c'est une stratégie géniale de la part de... comment il s'appelle déjà ?

— Une stratégie ? Tu crois que Harold a tout planifié ?

— Évidemment. Voyons, Sam. C'est même brillant. Faire semblant de ne pas la voir, la rendre folle... Il sait parfaitement qu'elle lui mangera dans la main à la fin de la semaine.

— Hum, hum. Tu ne connais pas Harold... Ce n'est pas trop son genre, tu sais.

David avait paru surpris.

— C'est vrai ? Dommage pour Lucy, avait-il ajouté en secouant la tête.

Au même moment, le réalisateur de l'émission a annoncé à toute la salle :

— O.K. Nous tournons dans dix secondes. À vos places, s'il vous plaît.

— Au fait, s'est dépêché de me dire David, j'ai failli oublier : ma mère discutait avec la tienne, tout à l'heure, et je l'ai entendue parler du week-end de Thanksgiving. Ma mère, je veux dire. Sur le fait que tu viennes avec nous à Camp David.

Chaque goutte de mon sang s'est alors figée tandis que David continuait :

— Bref, ta mère est d'accord. J'espère que ça ne t'embête pas que ma mère lui en ait parlé avant que tu n'en aies eu l'occasion. Elle tenait à savoir si tu venais ou pas. Pour pouvoir commander la dinde, tu comprends.

— Neuf, huit, sept..., comptait le réalisateur.

Random est venu s'asseoir à ma gauche, le président à ma droite.

— Six, cinq, quatre... N'oubliez pas de regarder votre interlocuteur quand vous prenez la parole. Essayez d'oublier la caméra.

— Bonne chance ! a ajouté David.

Il m'a donné un dernier baiser, puis a regagné sa place en même temps que le réalisateur criait :

— Action !

À ce moment-là, toutes les caméras se sont tournées vers nous et sur mon visage... livide et décomposé.

— Salut, ici Random Alvarez. Bienvenue sur MTV ! a commencé Random d'une voix beaucoup plus profonde que celle qu'il avait avant de passer à l'antenne.

Apparemment, que Kris Park et la moitié des élèves d'Adams Prep le dévisagent ne semblait guère le gêner. Pourtant, Kris, qui était assise pile en face de lui, le couvait tellement des yeux qu'on aurait dit qu'ils étaient seuls tous les deux dans une chapelle à Las Vegas, avec un pasteur sur le point de les unir.

— Au cours de cette émission, vous aurez l'occasion de découvrir certaines des questions que se posent les jeunes en cette année pré-électorale. Ce soir, je suis fier d'accueillir un homme qui n'a pas besoin d'être présenté, je veux parler du président des États-Unis, qui nous exposera son nouveau projet, le « retour aux valeurs familiales ». Nous avons également la joie de compter parmi nous Samantha Madison, la jeune fille de John Adams Preparatory Academy, où nous avons la chance de nous trouver ici, ce soir, à Washington, D.C. – à ce moment-là, tous les élèves se sont mis à hurler, y compris Kris Park qui, elle, en a profité pour crier : « Je t'aime, Random », mais en vain car Random Alvarez n'a pas entendu ou n'a pas relevé – Samantha Madison, donc, qui a sauvé le président au péril de sa vie et qui a été nommée ambassadrice des Nations unies pour la jeunesse. Monsieur le président, Samantha... Bonsoir et bienvenue sur le plateau de MTV.

— Bonsoir, Random, a dit le président en souriant. Merci beaucoup de me recevoir ce soir. Je dois vous confier une chose, Random : je suis l'un de vos plus grands fans. Vous êtes mon présentateur préféré.

L'assistance a ri poliment et la première dame des États-Unis s'est penchée vers ma mère et lui a dit quelque chose en souriant. Ma mère a hoché la tête, et à son tour s'est penchée vers la mère de David pour lui souffler quelque chose à l'oreille en riant.

Est-ce qu'elle rirait de la même façon si elle savait ce que j'allais VRAIMENT faire à Camp David ce week-end ?

— Merci, monsieur le président, a répondu Random de la même voix grave, avant de lire sur le télé-prompteur placé en dessous de la caméra qu'on n'était pas censés regarder : Parlez-nous maintenant du « retour aux valeurs familiales », si vous le voulez bien.

— Mais avec plaisir, Random. Voyez-vous, j'ai la certitude qu'avec le taux très élevé de divorces que nous connaissons actuellement et le nombre croissant de parents célibataires, il est important de ne pas oublier que la famille est, et a toujours été, le pivot de l'Amérique. Si l'unité de la famille est affaiblie, l'Amérique est affaiblie. Je suis ici, ce soir, parce que j'ai peur que les familles américaines ne soient affaiblies... pas seulement à cause de contraintes financières auxquelles elles pourraient être exposées, mais à cause d'une absence fondamentale de communication. Je comprends tout à fait que les parents d'aujourd'hui soient sous pression et travaillent dur pour pouvoir offrir à leurs enfants une qualité de vie à laquelle ils n'ont pas eu droit. Mais j'ai aussi le sentiment qu'ils devraient privilégier le temps qu'ils passent avec leurs enfants. Il ne s'agit pas uniquement de venir les applaudir à un match de foot ou de les aider à faire leurs devoirs, mais de consacrer du temps à... à parler, à ouvrir ou rouvrir les voies de la communication entre parents et enfants.

Le père de David a marqué une pause. Jamais il ne lisait son texte sur un téléprompteur ou sur des notes qu'il tenait à la main. Non, il connaissait tous ses discours par cœur. David sait le faire aussi – parler en public, *au pied levé* (définition donnée par les annales : à l'improviste, sans préparation).

Moi, en revanche, j'ai besoin de notes. Je les avais d'ailleurs sur moi, dans la poche de mon jeans. Il ne me restait plus qu'à attendre mon tour pour prendre la parole, ce que Random ne tarderait pas à m'inviter à faire. Le président allait parler encore pendant un petit moment et expliquer aux parents comment ouvrir les voies de la communication entre eux et leurs enfants, puis j'exposerais ce que les enfants pouvaient faire de leur côté.

Et ensuite, dans deux petits jours, je partirais pour le Maryland où je coucherais avec mon petit ami. Enfin, normalement.

— C'est pourquoi j'appelle à un « retour aux valeurs familiales », a continué le président. Une fois par mois, éteignons la télévision et renonçons à un entraînement de foot pour passer du temps ensemble. Je sais que ça paraît peu... Une fois par mois, est-ce suffisant pour renforcer une famille ? Les études montrent que oui, c'est possible. Les enfants dont les parents passent ne serait-ce que quelques heures par mois à parler avec eux ont des facultés cognitives plus élevées. Ils apprennent à parler et à lire plus vite, ils réussissent mieux leurs examens et font rarement l'expérience de l'alcool, de la drogue ou de l'amour avant le mariage.

Ouah ! C'était peut-être ça, mon problème. C'était peut-être pour ça que j'allais faire l'expérience de l'amour avant le mariage. Parce que mes parents ne passaient pas assez de temps avec moi.

Dans ce cas... c'était À CAUSE d'eux.

— Vous aurez le soutien du gouvernement américain, a assuré le père de David. En effet, dans le but d'aider les parents à ouvrir les voies de la communication avec leurs enfants, j'ai l'intention de demander aux législateurs de voter, dans le cadre du « retour aux valeurs familiales », un projet de loi qui stipulera que les jeunes désirant se procurer une quelconque contraception auprès des centres du planning familial devront avoir le consentement de leurs parents ou bien que lesdits centres signalent aux parents qu'ils ont procuré pareil service à leurs enfants...

Toute la salle a applaudi à cette annonce. Kris et les membres du Droit Chemin, eux, ont carrément acclamé le président.

Bref, tout le monde approuvait. Sauf moi.

— Une minute, une minute, ai-je dit.

Mais le micro, fixé au col de mon chemisier, n'était pas branché, et on ne m'a pas entendue.

J'ai parcouru la salle du regard. À part mon père qui venait de se lever et de sortir du gymnase, son portable à l'oreille, ma mère qui consultait son agenda électronique, Rebecca qui lisait et Lucy qui se remettait du gloss, le reste de l'assistance applaudissait, comme si ce qui venait d'être dit était tout à fait normal.

J'en ai donc conclu que les paroles du président n'étaient pas si choquantes que ça. J'avais sans doute mal entendu. Le mieux était d'attendre la suite. Qu'est-ce qui me tracassait déjà ? Ah oui. Faire l'amour avec mon petit ami. À Camp David. Dans deux jours.

— Je pense que c'est une étape importante dans l'ouverture des voies de la communication entre parents et adolescents, a repris le président après avoir levé la main pour calmer l'enthousiasme de son auditoire. Les États-Unis détiennent actuellement le record des maternités précoces parmi les pays occidentaux et connaissent une forte hausse des maladies sexuellement transmissibles. Si les parents étaient tenus au courant de la conduite de leurs enfants par ceux qui, en ce moment même, sont autorisés à ne pas leur divulguer cette information vitale – je veux parler des médecins des centres de planning familial et des pharmaciens qui jouent un rôle dans le développement des relations sexuelles adolescentes –, ils pourraient mettre un terme à cette situation...

De nouveaux applaudissements ont retenti. *De nouveaux applaudissements*.

Je n'en croyais pas mes oreilles. En fait, j'avais très bien entendu la première fois. Qu'est-ce qui se passait ? Pourquoi les gens applaudissaient ? N'avaient-ils pas compris le sens des paroles du père de David ?

Et pourquoi rien de tout cela ne figurait dans les documents que le porte-parole de la Maison Blanche m'avait donnés ? Nulle part, on n'y mentionnait le fait que les médecins des centres du planning familial et les pharmaciens devaient signaler aux parents la visite de leurs enfants, venus les consulter pour s'informer sur la contraception. Si ça y était, je l'aurais vu. Après tout, c'est un sujet qui m'avait plus ou moins occupé l'esprit ces derniers temps, non ?

C'était à présent un tonnerre d'applaudissements, qui retentissait si fort que quelques secondes se sont écoulées avant qu'on ne m'entende crier :

— S'il vous plaît ! S'il vous plaît !

Remarquant que je faisais des bonds sur mon siège, Random m'a regardée et, sans vérifier sur le télé-prompteur si c'était à mon tour de parler, m'a demandé :

— Samantha ? Avez-vous... euh... quelque chose à dire ?

— Oui, j'ai quelque chose à dire.

Mes notes étaient toujours dans la poche de mon jeans, mais je ne les ai pas sorties. Je ne les ai pas sorties parce que j'avais complètement oublié leur existence. J'étais trop abasourdie et... trop en colère.

— Pourquoi applaudissez-vous ? me suis-je exclamée en m'adressant à Kris Park et à sa bande. N'avez-vous pas compris ce qui vient d'être dit ? Ne vous rendez-vous pas compte de ce qui se passe ici ?

— Euh... Samantha, a soufflé le président. Je pense que si vous me laissiez finir, vous comprendriez que mon but est de renforcer la famille en redonnant l'autorité parentale à ceux qui savent ce qu'il y a de mieux pour leurs enfants...

— Mais c'est... c'est faux !

Je n'étais tout de même pas la seule dans l'assistance à le penser. J'ai regardé à nouveau Kris Park puis les autres élèves d'Adams Prep.

— N'avez-vous pas saisi ? N'avez-vous pas entendu ce qu'il a dit ? Le « retour aux valeurs familiales » est une... une arnaque ! C'est un piège ! C'est... c'est...

Tout à coup, le visage de Dauntra m'est apparu. Dauntra qui ne pouvait pas retourner chez elle parce que ses parents l'avaient fichue dehors. Dauntra qui remettait en question l'autorité – à tel point d'ailleurs qu'elle était prête à se faire arrêter.

— C'est une conspiration ! ai-je hurlé. Une conspiration pour vous dépouiller de vos droits !

— Sam, je vous en prie, a déclaré le président en riant doucement. Ne dramatisez pas...

— Comment voulez-vous ne pas dramatiser ? ai-je répliqué en me tournant vers lui. Vous venez d'annoncer à l'Amérique entière que vous avez l'intention d'inciter les pharmaciens et les médecins à dénoncer les adolescents venus leur demander de l'aide...

— Samantha ! s'est écrié le président.

Jamais je ne l'avais vu autant en colère, y compris le jour où j'avais pris le dernier cookie au chocolat que lui avait livré Capitol Cookie.

— Vous simplifiez mes paroles à l'excès. Les Américains ont toujours placé la famille au-dessus de tout autre chose. La famille américaine est, comme je l'ai dit, le pivot de notre pays, et ce depuis l'époque des Pèlerins jusqu'aux immigrants qui ont fait de notre nation le plus grand melting pot qui soit. Pour ma part, je m'élève contre l'idée que la famille soit amenée à se dissoudre parce que les parents n'auraient plus de droits...

— Et *mes* droits ? Qu'en est-il des droits des

enfants ? Nous avons des droits nous aussi, vous savez !

J'ai jeté un coup d'œil au public. Et j'ai vu que David me souriait. Pas comme s'il était heureux de ce qui se passait, mais plutôt comme s'il comprenait que je ne faisais que ce que j'avais à faire.

Qui d'autre, sinon, le ferait ?

Bref, en voyant son sourire, j'ai compris brusquement à mon tour quelque chose. Quelque chose qui n'avait pas été très clair dans ma tête jusqu'à présent.

— Ne saisissez-vous pas ? ai-je redemandé au public, et au président aussi. Renforcer la famille, ce n'est pas priver l'un de ses membres de ses droits pour en donner plus à un autre. La famille n'est pas un assemblage de DIFFÉRENTES PARTIES, elle forme un TOUT. Un tout qui doit être ÉQUILIBRÉ. Une famille, c'est comme... comme une maison. Il faut d'abord construire les fondations avant de s'occuper de la décoration.

Est-ce que Susan Boone était devant son poste ? Cela dit, j'avais du mal à l'imaginer en train de regarder MTV. Mais bon, on ne sait jamais. En tout cas, si elle suivait l'émission, elle saurait. Elle saurait que j'avais enfin compris ce qu'elle essayait de me dire depuis deux semaines : qu'il ne faut pas privilégier une partie ou une autre au détriment de l'ensemble. J'avais compris maintenant. J'étais prête pour son cours d'après modèle vivant.

Dommage qu'il soit trop tard.

— Vous n'avez toujours pas saisi ? ai-je insisté en m'adressant cette fois aux autres élèves de mon âge. La véritable raison pour laquelle les États-Unis détiennent le record des grossesses adolescentes et des MST parmi les pays occidentaux, ce n'est pas parce que les centres du planning familial n'informent pas nos parents de nos faits et gestes, mais parce que, ici, tout ce qu'on nous apprend, c'est à dire non. Non pas, « Voilà ce que vous pourriez faire », mais... « non », tout simplement. Dans les pays où les parents parlent OUVERTEMENT de sexualité et de contraception avec leurs enfants, et où on explique aux jeunes qu'il n'y a rien de honteux à cela, les taux de grossesses non désirées et de MST sont beaucoup plus bas...

— Je comprends votre point de vue, Samantha, m'a à nouveau coupée le président en plaquant un sourire forcé sur ses lèvres, mais je ne parlais pas des familles comme la vôtre ou comme celles de vos camarades, ici, dans cette belle école que vous fréquentez. Je parle des familles qui n'ont pas les mêmes privilèges que vous...

Quoi ? Qu'est-ce qu'il racontait ? Que dans les familles de Cleveland Park, où j'habite, les parents s'occupaient obligatoirement bien de leurs enfants, et que ceux-ci n'avaient aucune expérience sexuelle avant le mariage ?

— ... des familles qui n'ont pas transmis à leurs enfants les valeurs morales que vos parents vont ont transmises, a continué le président. Vous et tous vos camarades ici à John Adams Preparatory Academy êtes des modèles pour notre nation, vous êtes le genre d'enfants qu'on aimerait tous avoir, des enfants qui ont la force morale de défendre leurs croyances et de dire non à la drogue et à la sexualité avant...

— Bref, l'ai-je coupé à mon tour, parce que je dis oui au sexe, je suis un mauvais exemple pour mon pays ? C'est cela que vous êtes en train de nous expliquer ?

La salle est devenue brusquement silencieuse tandis que tout le monde – y compris moi – mesurait la portée de mon intervention.

Tandis que je prenais conscience du fait que je venais d'annoncer au pays entier que j'avais déjà couché avec mon petit ami (même si ce n'était pas vrai), je me suis mise à prier pour que le sol en dessous de moi s'ouvre et m'engloutisse.

Ce qui ne s'est malheureusement pas produit.

— Oh, mon Dieu ! s'est alors écriée ma mère, brisant le silence qui pesait sur le gymnase.

— Oh, mon Dieu ! a répété à son tour la mère de David.

Random Alvarez, qui avait semble-t-il piqué un somme pendant l'échange entre le président et moi-même, s'est brusquement redressé et a annoncé à la caméra :

— On se retrouve juste après les publicités pour reparler de ces importantes déclarations !

Dix raisons pour lesquelles il vaut mieux y réfléchir à deux fois si vous avez l'occasion de sauver la vie du président de votre pays :

10. Partout où vous irez après, vous serez harcelée par des « Familles Johnson » en vacances.

9. Quand, après avoir refusé un millier de fois, vous vous décidez enfin à accepter de passer à la télévision dans une émission de grande écoute, parce que vous avez l'intention d'éveiller la conscience des téléspectateurs sur le problème de l'esclavage des enfants – qui existe vraiment et même en Amérique –, vous sangloterez à l'antenne parce que la présentatrice vous demandera de parler de Mewsie, le petit chat que vous aviez à l'âge de dix ans et qui est mort de leucémie.

8. Chaque fois que vous serez sur votre lieu de tra-

vail – parce que vous travaillez à mi-temps pour gagner de quoi vous acheter des crayons de papier –, les clients qui rapporteront *Men in Black II* vous interrogeront sur la base américaine Area 51, étant donné que vous avez vos entrées à la Maison Blanche.

7. Vous passerez tout votre temps libre dans le bureau du porte-parole de la Maison Blanche, à signer des autographes en bas de vos portraits.

6. Ne pensez même pas mettre le pied dans un McDonald. C'est fini, ça. Vous serez assaillie par la foule.

5. Toutes les personnes que vous connaissez vous demanderont de leur obtenir un autographe du président.

4. Vous trouverez votre vieille carte de bibliothèque municipale (que vous pensiez avoir jetée) en vente sur eBay parce que tout le monde veut posséder un objet vous ayant appartenu.

3. Vous tomberez peut-être amoureuse de son fils et vous sortirez avec lui.

2. Ce qui sera très délicat quand le président vous

demandera de soutenir son projet de « retour aux valeurs familiales ».

Mais la raison essentielle qui vous fera y réfléchir à deux fois avant de sauver la vie du président de votre pays, c'est que :

1. Vous risquez d'être super en colère contre lui et annoncer sans le vouloir au monde entier, et sur une chaîne nationale, que vous avez couché avec son fils. Même si vous ne l'avez pas fait.
   Du moins, pas encore.

12

— C'est à cause de ces fichus cours de dessin, a dit le président.

— Non, ce n'est pas à cause d'eux, a déclaré David d'une voix lasse.

Parce qu'il ÉTAIT las. Ça faisait une heure et demie qu'on parlait de ça dans notre salon, en fait, depuis que le président avait claqué la porte du gymnase pendant les spots publicitaires, obligeant MTV à repasser un vieil épisode de *Pimp My Ride*.

— Tout ce que je sais, c'est que mon fils n'était pas intéressé par le sexe jusqu'à ce qu'il se mette à dessiner des gens nus !

— Papa, j'ai toujours été intéressé par le sexe. N'oublie pas que je suis un garçon. Mais je n'ai pas de relations sexuelles pour autant, et je n'ai pas l'intention d'en avoir dans un avenir proche.

Ouah ! Je ne savais pas que David savait aussi bien mentir. Je parle sérieusement.

— Alors, pourquoi Sam a-t-elle dit...

— Une minute, est intervenu mon père. Qui dessine des gens nus ?

— Sam, l'a informé ma mère tout en resservant du café à la première dame des États-Unis. Susan Boone a proposé à Sam et à David de suivre son cours d'après modèle vivant.

Mon père a froncé les sourcils.

— Et en quoi ces cours les ont-ils poussés à coucher ensemble ?

— On ne couche pas ensemble, ai-je dit pour la trente millième fois au moins.

— Alors pourquoi, pour l'amour de Dieu, avez-vous annoncé à l'Amérique entière que vous aviez dit oui au sexe ? m'a demandé le président.

— Je ne sais pas.

Assise sur le canapé, je m'étais recroquevillée sur moi-même, les genoux sous le menton.

— J'étais tellement en colère contre vous, ai-je ajouté.

— Contre MOI ? a hurlé le président, plus agacé que jamais. Et qu'est-ce que vous croyez que JE ressens ? Je suis là, comme un imbécile, à expliquer à la nation entière que mon fils est un exemple à suivre et je découvre qu'il me fait passer pour le plus grand des hypocrites...

— C'est faux, l'ai-je interrompu en me sentant de plus en plus mal. Car on ne l'a pas...

— En tout cas, a déclaré David, je ne me souviens pas que tu m'aies demandé si je soutenais ton projet de loi stipulant que pour pouvoir s'adresser à un centre du planning familial les jeunes devraient avoir le consentement de leurs parents. En fait, je ne me rappelle pas que Sam l'ait lu non plus dans la doc que tu lui as fait remettre. Parce que si c'était le cas, elle m'en aurait parlé.

— Les parents ont le droit de savoir ce que font leurs enfants dans leur dos, a répondu le président.

— *Pourquoi ?* a demandé David. Pour qu'ils puissent agir comme tu es en train d'agir ? À quoi bon, papa ? Ça les fera paniquer, comme toi en ce moment.

— S'ils découvrent AVANT que leurs enfants ont l'intention d'avoir des rapports sexuels, ils pourront peut-être les en dissuader, ouvrir les voies de la communication afin de leur éviter de commettre la pire erreur de leur vie...

— Ne dramatisons pas trop ! a dit ma mère d'un ton ferme – celui qu'elle emploie au palais de justice. Sam s'est excusée d'avoir dit ce qu'elle a dit et elle a expliqué qu'elle parlait en termes *hyperboliques* (définition donnée par les annales : caractérisé par l'hyperbole, figure de style qui consiste à mettre en relief une idée au moyen d'une expression qui la dépasse). Je crois que la vraie question, c'est : qu'est-ce que nous allons faire ?

— Je vais vous dire ce que NOUS allons faire, a répliqué le président. Nous allons envoyer David en pension.

David a levé les yeux au ciel.

— Papa, je t'en prie.

— Je parle très sérieusement. Je me fiche de savoir qu'il ne te reste plus qu'un an avant l'université. Tu iras dans un prytanée militaire, point final.

J'ai jeté un coup d'œil paniqué à David.

Mais il paraissait calme... bien plus calme en fait qu'on aurait pu l'imaginer, sachant qu'il était sur le point d'intégrer une école militaire au fin fond de l'Arkansas.

— Tu ne vas m'envoyer nulle part, papa, a-t-il déclaré, car je n'ai rien fait. Au lieu de conclure sans réfléchir comme un réactionnaire, pourquoi n'essaies-tu pas de comprendre ce que Sam disait pendant l'émission ? Qu'il doit régner un certain équilibre au sein des familles si on veut que ça marche entre chacun de ses membres. Tout le monde peut faire valoir ses droits tant qu'on n'empiète pas sur les droits des autres. Et ce n'est pas parce que les jeunes ne sont pas assez âgés pour voter qu'on peut les priver de leurs droits.

Le père de David bouillait de colère.

— Tu simplifies mes propos...

— Tu crois ? Je me permets dans ce cas de te faire remarquer que, d'ici quelques années, ces mêmes jeunes AURONT l'âge de voter. Quels seront leurs sentiments selon toi à l'égard du père de cette loi qui les a caftés à leurs parents chaque fois qu'ils voulaient acheter une boîte de préservatifs ?

— Ça suffit ! a tranché brusquement ma mère. Nous ne réglerons pas tous les problèmes de la société ce soir.

Elle a ensuite adressé au président son regard d'avocate – celui que ses collègues ont surnommé *mort aux industriels* –, puis a ajouté :

— Et personne ne se retrouvera en pension. Soyons pour l'instant heureux d'avoir deux beaux enfants intelligents et en bonne santé, qui ont toujours su prendre de bonnes décisions. Pour ma part, je leur fais confiance pour qu'ils continuent à l'avenir à faire les bons choix.

— Mais..., a commencé le président.

Cette fois, c'est sa femme qui lui a coupé la parole.

— Je suis d'accord avec Carol, a-t-elle dit. Oublions ce fâcheux incident et essayons de voir le bon côté des choses.

— Qui est ? a demandé le président.

Elle a réfléchi quelques secondes puis son visage s'est éclairé, et elle a répondu :

— Nos enfants ne souffrent pas d'apathie, au moins, comme tant de jeunes de leur âge. David et Sam semblent au contraire profondément concernés par ces questions.

Apparemment, le président ne pensait pas qu'il y avait de quoi se réjouir. Il s'est effondré dans son fauteuil en poussant un soupir.

— Franchement, ce n'était pas mon jour ! a-t-il marmonné.

Tout à coup – même si je lui en voulais encore de s'être servi de moi, parce que c'est exactement ce qu'il avait fait, il s'était servi de moi comme Dauntra l'avait dit –, j'ai eu pitié de lui. Après tout, son projet comportait quand même certains points positifs.

— Le « retour aux valeurs familiales » est une bonne idée, ai-je déclaré, histoire de lui remonter le moral, si... si ça se résume à ÇA : des familles parlant ensemble, comme nous venons de le faire. Mais si ça se résume à priver les autres de leurs droits, comment voulez-vous que ça marche ?

— J'ai compris le message, Sam, a-t-il répondu, manifestement par dépit. J'ai parfaitement compris. Comme toute l'Amérique, d'ailleurs.

Considérant que par cette réponse, il me signifiait qu'il m'avait assez entendue et vue pour la journée, je me suis extirpée du canapé et je me suis sauvée.

À mon grand soulagement, David n'a pas tardé à me rejoindre dans la cuisine vide, Lucy et Rebecca ayant été depuis longtemps sommées de rester dans leurs chambres. Cela dit, j'étais prête à parier qu'elles avaient écouté une bonne partie de la conversation, cachées derrière la rambarde du palier.

— Ça va ? m'a demandé David.

En guise de réponse, je me suis jetée à son cou et j'ai enfoui ma tête contre sa poitrine.

C'était ça ou éclater en sanglots.

— Doucement, doucement, a-t-il murmuré en caressant ma chevelure noir d'ébène.

— Je suis désolée, ai-je dit en reniflant. Je ne sais pas ce qui m'a pris tout à l'heure au gymnase.

Je suis restée blottie contre lui, les yeux fermés. Je sentais la chaleur de son corps à travers son sweat-shirt. C'était si bon que j'aurais pu rester là toute ma vie.

— Ne t'inquiète pas, a repris David. Tu as fait ce que tu fais toujours. Tu as eu le courage de tes opinions.

J'ai cligné plusieurs fois des yeux quand il a dit ça. Parce que c'était faux. Je n'ai pas du tout le courage de mes opinions. Pas en présence d'une fille comme Kris Park, par exemple. Ni en présence de Stan, au vidéo club. Et surtout pas en présence de David. Sinon, je n'irais pas à Camp David avec lui ce week-end.

— Au fait, pour Thanksgiving..., ai-je commencé après avoir pris une profonde inspiration.

— C'est toujours d'accord, n'est-ce pas ?

Sauf que ce n'était pas David qui venait de parler, mais sa mère. Quand on a vu qu'elle se tenait dans l'encadrement de la porte de la cuisine, on s'est aussitôt éloignés l'un de l'autre.

Que pouvais-je lui répondre ? Elle avait l'air vraiment inquiète à l'idée que je ne vienne pas. Comme si elle ne pensait qu'à cette dinde qui risquait d'être gâchée si je ne la partageais pas avec eux.

— Euh... oui, oui, bien sûr.

— Parfait, a-t-elle dit. Je suis tellement contente que vous veniez. Allons, David, il est l'heure de partir. Bonne nuit, Sam.

— Bonne nuit, madame... Je suis vraiment désolée.

— Ce n'est pas votre faute, a déclaré la mère de David avec un soupir. Dis à Sam qu'on passera la prendre jeudi matin, David.

David m'a souri.

— On passera te prendre jeudi matin, Sam, a-t-il répété avant de presser ma main dans la sienne puis de suivre sa mère dans l'entrée.

Jeudi matin. SUPER.

— Eh bien ! a lâché ma propre mère une fois qu'elle a refermé la porte de la maison derrière le président et sa famille. Quelle soirée ! Dommage qu'ils aient emmené leurs agents des services secrets. Je leur aurais bien demandé de me tirer une balle dans la tête.

Bien que je sois plus ou moins dans le même état, j'ai décidé de leur réciter le petit speech que j'avais préparé mentalement depuis notre départ du gymnase.

— Maman, papa, ai-je commencé, j'aimerais profiter de l'occasion pour vous remercier tous les deux de m'avoir toujours témoigné votre affection et votre soutien, et d'avoir été pour moi des modèles dont peut s'inspirer une fille de mon âge pour faire son chemin dans le monde complexe et en perpétuel mouvement qui nous entoure...

— Sam, m'a interrompue mon père. Je comprends que tu tenais ce soir à dire ce que tu avais à dire. Cependant, je pense qu'il est temps que certaines choses changent dans cette maison. Et changent VRAIMENT. Aussi, j'aimerais que tu montes dans ta chambre. Maintenant. Et que tu y restes, a-t-il ajouté sur le ton de celui qui, pour la première fois depuis longtemps, se comporte en père de famille.

— Euh... O.K.

Et j'ai filé dans ma chambre... où j'ai trouvé Lucy. Elle m'attendait, les yeux démesurément ouverts.

— Oh, là, là ! s'est-elle exclamée après s'être assurée que nos parents ne pouvaient pas nous entendre. C'était... c'était dingue ! Totalement DINGUE !

— À qui le dis-tu ! ai-je répliqué, brusquement épuisée.

— Je n'ai jamais vu les parents dans un état pareil.

— Oui, ai-je fait tout en regardant mon poster de Gwen en robe de mariée.

— Ils t'ont punie ?

— Non.

Lucy a paru choquée.

— Tu veux dire, même pas un peu ?

— Non. Mais papa a dit que certaines choses allaient changer. Et changer VRAIMENT.

Lucy s'est effondrée contre mon panier de linge, visiblement ébranlée par la situation.

— Ouah ! En tout cas, tu les as bien eus, les parents.

— Je ne pense pas. À mon avis, ils me font confiance.

— Je sais bien, a fait Lucy en secouant la tête. C'est ça qui est le plus beau. Qu'ils te fassent confiance sans avoir aucune idée de ce que tu envisages de FAIRE. Après-demain, je veux dire.

Inutile de me le rappeler.

J'ai plaqué mes deux mains sur mon ventre, persuadée que j'allais vomir.

— Lucy, est-ce qu'on pourrait parler de ça à un autre moment ? J'ai besoin d'être seule pour l'instant.

— Pas de problème, a répondu Lucy en se levant.

Je voulais te dire une dernière chose. De la part de toutes les filles du monde entier : Bravo !

Et là-dessus, elle est partie en fermant la porte derrière elle tout doucement.

J'ai regardé à nouveau la photo de Gwen et j'ai éclaté en sanglots.

Les dix raisons pour lesquelles je hais mon lycée :

10. Aux yeux de la plupart des élèves, seule l'apparence – et surtout les vêtements – comptent. Si, par exemple, vous aimez porter du noir, toutes les personnes que vous croiserez dans les couloirs lèveront les yeux au ciel en pensant que vous êtes une marginale.

9. Si vous avez décidé de vous teindre les cheveux en noir, non seulement on vous traitera de marginale, mais d'adepte de Satan et de punk. Certaines personnes vous demanderont même où vous avez rangé votre balai, persuadées que vous faites partie de la secte Wicca, sans savoir que la Wicca est une ancienne religion d'avant le christianisme fondée sur l'amour de la nature et la célébration des forces de la vie, et n'a rien à voir avec des balais, lesquels sont seulement

utilisés comme outils de cérémonie dans certains rites Wicca.
Je tiens toutefois à préciser que je ne suis pas une spécialiste de la Wicca.

8. Tout le monde ne parle que des vainqueurs de *American Idol* ou de l'équipe d'athlétisme de tel ou tel lycée qui a été sélectionnée pour telle ou telle finale. Personne ne discute d'art ou de philosophie. Il n'y a que la télé et le sport qui les intéressent. Ce qui est exactement à l'opposé de ce qu'une école est censée apporter, à savoir ouvrir nos esprits à des choses nouvelles et à la connaissance.

7. Les élèves n'ont aucun respect pour leur environnement. Par exemple, ils jettent leurs papiers de chewing-gum n'importe où. BERK.

6. Si, par exemple, vous dites que vous aimez bien un certain style de musique qui n'est PAS Limp Bizkit ou Eminem, on vous fuira ou on vous traitera de « Pauv'-gourde-qu'écoute-encore-du-ska ».

5. Un mot : EPS. À moins qu'il ne s'agisse de trois lettres. Peu importe. Ça craint. J'ai entendu dire que, dans certains établissements, on avait remplacé les interminables matchs de foot par des

cours de self-défense ou des projets pédagogiques appelés « Aventure et Nature ».
J'aimerais tellement aller dans une école comme ça !

4. Tous les élèves sont persuadés qu'ils doivent être au courant de tous vos faits et gestes. Les potins, c'est pratiquement une RELIGION à Adams Prep. Résultat, dans les couloirs, tout ce qu'on entend, c'est : « Et il m'a dit que... et je lui ai dit que... et il paraît qu'elle... etc. » Il y a de quoi devenir fou.

3. Même si tout le monde tient des discours moralisateurs, il semble que plus vous avez la réputation d'être lubrique, plus vous faites partie de l'élite. Comme ce joueur de l'équipe de foot qui, après s'être saoulé à une fête, l'a fait avec une fille de la classe spécialisée. Eh bien, il a été élu « roi de la promotion » cette année-là. Oui. Voilà un joli modèle à suivre.

2. Le hall du lycée est rempli de vitrines exposant les trophées des sportifs. Il n'y a qu'une seule vitrine qui expose un prix obtenu par un élève en arts plastiques, et elle se trouve au sous-sol, près de la salle d'arts plastiques, là où personne

ne va à l'exception des élèves inscrits en arts plastiques.

Mais la raison essentielle pour laquelle je hais mon lycée, c'est que :

1. Mes parents n'accepteraient jamais que je reste à la maison le lendemain du jour où j'ai annoncé sur MTV que j'ai dit oui au sexe.

13

C'est Theresa qui nous a conduites au lycée le lendemain. Devant la horde de journalistes postés autour de la maison, nos parents avaient refusé au dernier moment qu'on prenne le bus.

Ce qui n'était pas plus mal vu le genre de questions qu'on me posait (« Sam ! Est-ce que vous l'avez déjà fait dans la "chambre Lincoln", David et vous ? ») Je ne suis pas certaine que les petits, dans le bus, auraient tout compris, si vous voyez ce que je veux dire.

Bien sûr, Theresa s'en voulait.

— J'aurais dû m'en douter, ne cessait-elle de répéter. Toutes les fois où il venait et où tu me racontais que vous travailliez ! Ha !

— On travaillait vraiment, Theresa, je te le jure.

— Tu crois que c'est un exemple pour ta petite sœur ?

— Mais enfin ! a explosé Rebecca sur un ton dégoûté. J'ai un QI de 170. Je sais tout sur le sexe. En plus, j'ai déjà vu *Sous les draps.*

— Santa Maria ! s'est exclamée Theresa.

— Et alors ? C'est juste après *National Geographic Explorer.*

— Je ne veux plus entendre un mot là-dessus, a déclaré Theresa tout en se garant devant le lycée. Je vous retrouve ici dès la fin des cours. Et je te déconseille de sécher pour aller coucher avec des garçons, Sam, tu m'entends ?

— Je t'en prie, Theresa. Tu me prends pour qui ?

— On ne sait jamais.

Et sur ces paroles, elle est partie.

Les jours où il ne pleut pas, les élèves d'Adams Prep se rassemblent devant les marches du bahut en attendant que la sonnerie retentisse, et parlent de ce qu'ils ont vu à la télé la veille ou de qui porte quoi. En général, si vous n'avez pas rendez-vous avec quelqu'un, il vous faut vous frayer un passage à travers la foule pour pouvoir grimper l'escalier et gagner le hall.

Mais pas aujourd'hui. Aujourd'hui, tout le monde s'est écarté sur notre passage, à Lucy et moi, et les conversations ont cessé tandis que chacun regardait... la belle et la bête.

— Ça craint, ai-je murmuré à Lucy.

— Quoi ?

J'ai vu qu'elle parcourait le hall des yeux. Bref, elle ne prêtait pas du tout attention à ce qui se passait autour d'elle. À tous les coups, elle cherchait Harold.

— *ÇA*, ai-je répondu. Tout le monde pense qu'on l'a fait, David et moi.

— ET alors ? Ce n'est pas votre intention ?

— Pas nécessairement.

Lucy m'a enfin entendue.

— Ah bon ? Je croyais que c'était ce que tu avais décidé.

— Je n'ai rien décidé du tout ! ai-je déclaré avec véhémence. Mais tout le monde semble décider à ma place.

Lucy avait sans doute repéré quelqu'un dans la foule à qui elle avait un besoin urgent de parler, car elle m'a lancé :

— Écoute, bonne chance en tout cas. À ce soir !

Et elle a filé... droit vers Harold qui sortait de la salle informatique, plongé dans la lecture de *Algorithmes pour un contrôle automatique de la mémoire dynamique.* Le dernier livre que Lucy avait laissé traîner sur le rebord de la baignoire s'intitulait : *Elle est allée jusqu'au bout*. Difficile d'imaginer que ces deux-là s'entendent.

Avec un soupir, je me suis dirigée vers mon casier, consciente qu'autour de moi la *cacophonie* (définition donnée par les annales : mélange confus de plusieurs bruits, de plusieurs voix, qui peuvent blesser l'oreille) qui régnait habituellement dans le hall s'atténuait à mesure que les gens baissaient la voix pour médire sur mon compte. Les yeux se plissaient pour ne devenir que deux fentes lourdes de mascara quand je croisais un groupe de filles, et les classeurs masquaient les bouches de ceux qui jasaient sur mon compte. Alors que je composais le code de mon cadenas, je sentais qu'un millier de regards me vrillaient le dos.

Pourquoi est-ce que je n'avais pas fait semblant d'être malade ? Et comment avais-je pu oublier que, même si j'étais la coqueluche du peuple américain parce que j'avais sauvé la vie du président et sortais avec son fils, mes camarades d'Adams Prep, eux, me haïssaient ?

Et maintenant, ils avaient une autre raison de me détester.

Mais pouvais-je leur en vouloir ? Après tout, qu'avais-je fait, la nuit dernière, si ce n'est tourner leur lycée en ridicule en annonçant à la télé que je ne valais pas mieux que n'importe quelle adolescente des écoles publiques qu'ils méprisaient tant ?

Mon Dieu, ce n'était pas étonnant qu'aucun d'eux ne m'adresse la parole et qu'ils me critiquent tous...

— Alors ? Est-ce que tu avais l'intention de me le dire ?

J'ai bondi, surprise par cette voix douce, et j'ai

tourné la tête pour me retrouver face aux jolis yeux marron de...

— Catherine ! C'est toi ? Salut.

— Alors ? a-t-elle répété, les sourcils haussés. Avais-tu oui ou non l'intention de me le dire ?

— Te dire quoi ?

— Pour David et toi. Tu vois bien de quoi je parle.

J'ai senti que je piquais un fard comme jamais.

— Il n'y a rien à dire, je te le jure, Catherine. Ce qui s'est passé hier soir n'était qu'un énorme malentendu.

Était-ce un effet de mon imagination ou Catherine avait-elle l'air déçu ?

— Tu ne l'as pas fait ?

— Non. C'est-à-dire... pas encore. Je...

Je me suis tue brusquement et je l'ai regardée droit dans les yeux.

— Est-ce que tu aurais VOULU que je te le dise ? Si on l'avait fait ?

Catherine a écarquillé les yeux.

— ÉVIDEMMENT ! Je ne comprends pas que ça t'étonne.

— Eh bien... comme j'ai un petit ami et pas toi... Enfin, je veux dire que toi, tu n'en as plus...

— Je m'en fiche ! s'est écriée Catherine, blessée. Tu devrais le savoir ! Je t'en prie, Sam, fais passer l'info.

— Je voulais te le dire, ai-je repris, pour David et

moi... Je voulais vraiment t'en parler, mais j'avais peur de... de me vanter, tu comprends ?

— TE VANTER ? a répété Catherine en souriant. Tu plaisantes. Tu es comme Amelia Eartheart, Sam.

Je l'ai dévisagée.

— Tu crois ?

— Oui, bien sûr. Tu ouvres la voie pour des tas de filles coincées dans le monde. Tu dois nous en parler. Autrement, comment veux-tu qu'on sache quoi faire quand notre tour viendra ?

Elle a glissé un bras autour de moi et a poursuivi :

— Reprenons donc dès le début. Quand as-tu su qu'il voulait le faire ? Et comment il a amené le sujet sur le tapis ? Tu as déjà vu son... tu vois ce que je veux dire. Il est plus gros que celui de Terry ?

J'ai éclaté de rire. Ça m'a un peu surprise, étant donné que la nuit dernière, j'étais persuadée que je ne rirais plus jamais. Parce que QUI me ferait rire si je n'avais plus personne à qui parler ?

J'avais oublié ma meilleure amie...

— Je te raconterai tout au déjeuner, ai-je dit. Mais je te préviens, ce n'est pas grand-chose.

— Promis ?

— Promis, ai-je répondu en refermant la porte de mon casier. Au fait, Catherine...

— Oui ?

— Tes parents ont suivi l'émission hier soir ?

— Non. Ils ont fait installer le contrôle parental

sur le câble, tu te souviens. Du coup, on ne reçoit pas MTV, m'a-t-elle expliqué.

Puis, avec un large sourire, elle a ajouté :

— Heureusement qu'il y a les chats sur Internet, sinon je n'aurais été au courant de rien du tout !

J'ai poussé un ouf de soulagement. Quelle horreur si les parents de ma meilleure amie lui avaient interdit de m'adresser la parole !

— On se retrouve à la cafétéria ? m'a demandé Catherine en entendant la première sonnerie.

— Oui. À tout à l'heure ! ai-je répondu en pensant : « *Si je tiens jusque-là.* »

Car je n'en étais pas franchement sûre. De tenir jusque-là. D'accord, j'ai l'habitude qu'on se moque de moi à cause de mon style vestimentaire ou de ma coiffure. On ne porte pas QUE du noir au milieu d'un océan de tissu écossais et de tee-shirt Abercombie sans attirer l'attention, non ?

Mais là, c'était autre chose. On ne me traitait pas de freak, de dingue ou d'adepte de Satan, tout comme on ne me demandait pas à quelle heure était la prochaine rave-party. Non, on m'ignorait tout simplement. Mes camarades regardaient dans ma direction sans me voir, comme si je n'existais pas.

Sauf que je savais qu'ils me voyaient, parce qu'ils pensaient que j'étais suffisamment loin, je les entendais murmurer entre eux. Pire, rire.

Heureusement, les profs ont essayé de faire en

sorte que la journée se déroule comme n'importe quelle journée d'école à Adams Prep, et ils ont fait cours comme si de rien n'était. Frau Rider m'a même interrogée, et sans que je lève la main.

Mais quand même. Il y avait de quoi devenir folle.

Ça a éclaté pendant la pause du déjeuner.

Je faisais la queue avec Catherine lorsque Kris Park et sa bande sont arrivées.

— Attention, le Droit Chemin en vue, a murmuré Catherine en tirant sur la manche de ma chemise.

J'ai senti que mon dos se raidissait. Kris n'oserait pas me dire quoi que ce soit. Avec une fille comme Debra, qui est sans défense, elle n'a pas de problème. Mais moi ? Non, impossible. Elle n'oserait pas.

Elle a osé.

— Nympho, a-t-elle susurré en passant à côté de moi.

J'avais déjà beaucoup encaissé depuis le début de la journée. Les murmures. Les ricanements. Les voix qui se taisaient brusquement dans les toilettes dès que j'ouvrais la porte.

J'avais supporté beaucoup de choses. PLUS que beaucoup.

Mais ÇA ?

C'était la goutte d'eau qui faisait déborder le vase.

Je suis sortie de la queue et j'ai rattrapé Kris par le bras.

— Qu'est-ce que tu viens de dire ? ai-je lancé, mon menton exactement à la hauteur du sien.

Je savais qu'elle ne le répéterait pas, du moins, pas devant moi. Elle est trop lâche. Non pas parce qu'elle pensait que j'allais me jeter sur elle et la frapper. Je n'ai jamais frappé personne – à l'exception de Lucy, bien sûr, quand on était petites. Oh, et ce type qui avait l'intention de tuer le président. Mais je ne l'ai pas vraiment frappé en fait, je lui ai bondi dessus.

Bref, Kris savait que je n'allais pas la frapper.

Mais elle devait s'attendre à QUELQUE CHOSE quand même. Sauf que cela ne semblait pas la troubler outre mesure, car elle m'a toisée, bras croisés sur la poitrine, et a dit :

— Je t'ai traitée de nympho, ce que tu es, non ?

Curieusement, bien que la cafétéria d'Adams Prep soit toujours très bruyante, à cet instant précis, on aurait pu entendre une mouche voler. C'était bien ma chance que personne n'ait parlé à ce moment-là.

En fait – comme j'aurais dû m'en rendre compte –, tout le monde avait suivi Kris et sa clique du regard quand elle s'était approchée de moi. Et tout le monde avait retenu sa respiration quand elle m'avait traitée de nympho, et attendait ma réponse.

Le problème, c'est que je n'en avais pas. Non, je n'en avais pas. Je m'attendais à ce qu'elle fasse machine arrière. Je n'avais pas pensé que, devant un tel public, elle le répéterait.

Je sentais la chaleur monter le long de ma poitrine, de mon cou, de mes joues. Bientôt, ça n'allait pas manquer, tout mon visage serait *empourpré* (définition donnée par les annales : coloré de pourpre, c'est-à-dire rouge vif). Kris Park m'avait traitée de nympho. DEUX FOIS DE SUITE. SANS LA MOINDRE HÉSITATION.

Il fallait que je réponde quelque chose. Je ne pouvais tout de même pas rester là, en face d'elle, et ne rien dire. *Pas devant tout le monde.*

Alors que je respirais péniblement à la recherche d'une réplique, Catherine, qui m'avait rejointe, a déclaré soudain :

— Sache, Kris, que toute cette histoire n'est qu'un malentendu. Sam n'a jamais...

Je ne sais pas pourquoi, mais j'ai compris à ce moment-là que la vérité importait peu. Que je l'aie fait ou pas, là n'était pas la question.

Et il était temps que Kris le sache.

Du coup, j'ai coupé la parole à Catherine et j'ai dit :

— Qu'est-ce qui te donne le droit de traiter les autres de toutes sortes de noms, Kris ?

O.K., c'était pas loin d'être la plus nulle de toutes les répliques de l'histoire, mais c'est tout ce que j'ai trouvé.

— Je vais te dire ce qui me donne ce droit, a répondu Kris en s'assurant que sa voix porte pour que personne dans la cafétéria ne perde une miette de ce qu'elle allait dire : Tu es passée à la télévision hier et tu t'es non seulement moquée du président et de la famille américaine, mais tu as tourné en ridicule notre lycée. Ça peut peut-être te surprendre, mais il y a des élèves ici qui ne veulent pas être associés à un établissement qui accepte des personnages comme toi. Quelle impression va-t-on donner maintenant dans nos demandes d'admission à l'université quand on verra qu'on a fréquenté Adams Prep ? À quoi crois-tu que les gens vont penser ? À notre réussite scolaire ? À nos exploits sportifs ? Non. Dès qu'ils verront le nom d'Adams Prep, ils se diront : « Ah oui, c'est le lycée où cette *nympho* de Sam Madison est allée. » Si tu avais le moindre respect pour nous ou pour cette école, tu partirais et tu nous laisserais essayer de sauver la réputation de notre lycée.

Je l'ai regardée fixement en priant pour qu'elle ne voie pas les larmes qui emplissaient mes yeux. Qui étaient, m'efforçais-je de me dire, des larmes de colère.

— C'est la vérité ? ai-je demandé.

Non pas à Kris, mais à tout le monde dans la cafétéria. Je me suis retournée et j'ai parcouru du regard tous les visages braqués sur moi. Sauf qu'ils étaient vides d'expression.

Était-ce de *cela* dont parlait la mère de David hier soir quand elle avait mentionné l'apathie des jeunes ?

— Est-ce vraiment ce que vous pensez ? ai-je redemandé à tous ces visages éteints. Que j'ai ruiné la réputation du lycée ? Ou n'y a-t-il que Kris qui pense ça ?

Je me suis retournée à nouveau pour faire face à Kris.

— Parce que si tu veux mon avis, la réputation d'Adams Prep n'a jamais été très bonne. Oh, bien sûr, tout le monde pense que c'est un super lycée. N'est-il pas d'ailleurs celui qui affiche le plus grand taux de réussite de l'État ? Mais là n'est pas la question. Adams Prep n'est PAS un grand lycée. Scolairement parlant, peut-être. Mais il est rempli d'élèves qui se moquent de toi si tu ne portes pas des vêtements signés J. Crew ou Abercombie. Et de gens qui n'hésitent pas à te traiter de nympho, que tu en sois une ou pas.

Pour la seconde fois, je me suis adressée à toute la cafétéria. Ma voix avait atteint un niveau quasi hystérique. Mais je m'en fichais.

Je n'en avais plus rien à faire de rien.

— Est-ce VRAIMENT ce que vous pensez ? Que je devrais partir ? Êtes-vous d'accord avec KRIS ?

Pendant quelques secondes, pas un bruit n'a retenti. Personne n'a bougé. Et personne n'a répondu.

Personne, sauf Kris. Elle a relevé la tête et, s'adressant à son tour à l'océan de visages devant nous, elle a demandé :

— Alors ?

Kris s'amusait, ça se voyait. Elle a toujours aimé être le point de mire, mais elle n'a jamais eu le talent nécessaire pour se voir confier un rôle dans aucune des pièces ou comédies musicales montées par l'école. Traiter une fille de nympho devant tout le monde – et se montrer arrogante lors des conseils de classe – était sa seule façon d'attirer l'attention sur elle, une attention dont elle avait un besoin maladif.

Voyant que personne ne répondait, elle m'a toisée et a dit :

— Le peuple a parlé. Ou plutôt, n'a PAS parlé. Alors, que fais-tu ici. Va-t'en. *On ne veut pas de nymphos ici.*

— Dans ce cas, je crois que tu as intérêt à te trouver un autre établissement, aussi, Kris.

Ce n'était pas moi qui venais de parler. Dommage, parce que j'aurais bien aimé dire ça.

Non, c'était quelqu'un d'autre. Quelqu'un qui n'était ni moi ni Catherine, laquelle se tenait toujours à mes côtés, bouche bée, les yeux écarquillés et aussi remplis d'effroi que les miens.

Bref, la personne qui venait de parler, qui venait de laisser entendre que Kris aussi devrait quitter Adams Prep n'était autre que ma sœur. Elle s'était levée de la table à laquelle elle déjeunait avec ses amis et se dirigeait vers Kris, un large sourire illuminant son joli visage.

J'aurais été bien incapable de deviner ce qui, étant donné les circonstances, pouvait la faire sourire.

Kris non plus, apparemment.

— Je ne vois pas du tout de quoi tu parles, Lucy, a-t-elle dit d'une voix bien moins hautaine que celle qu'elle avait utilisée à mon égard. Et beaucoup plus haut perchée, aussi. De toute façon, ça ne te concerne pas, a-t-elle ajouté. Tout le monde t'aime bien, ici. Il s'agit de ta sœur.

— Mais c'est bien ça le problème, a rétorqué Lucy. Tout ce qui concerne ma sœur ME concerne.

Tout en disant cela, Lucy s'est approchée de moi et m'a prise par le cou. Je suppose que par ce geste, elle voulait me témoigner son soutien, sauf qu'elle m'étranglait un peu.

— Et puis, a continué Lucy, tu es une menteuse, Kris.

Kris a jeté un coup d'œil à ses copines, qui ont toutes haussé les épaules avec l'air de penser : *Mais de quoi elle parle ?*

— Euh..., a fait Kris. Excuse-moi, Lucy, mais je crois qu'on était tous présents hier soir quand ta sœur a annoncé au monde entier qu'elle avait dit oui au sexe.

— Ce n'est pas là-dessus que tu mens, a répondu calmement ma sœur. Tu mens lorsque tu dis que tu ne vois pas de quoi je parle lorsque je t'ai fait remarquer que si les nymphos ne sont pas les bienvenues à Adams Prep, alors toi non plus, tu n'es pas la bienvenue. Car n'est-ce pas toi que j'ai vue hier soir sur le parking du lycée, à l'arrière de la limousine de Random Alvarez ?

Kris s'est raidie, comme si Lucy venait de la frapper.

Ce que, d'une certaine façon, elle avait fait.

— Je..., a-t-elle commencé en cherchant un soutien du côté de ses amies, lesquelles la dévisageaient avec l'air de penser, cette fois : *Attends... Qu'est-ce qu'elle a dit ? C'est chaud.*

Kris a virevolté et a fusillé Lucy du regard.

— Non, enfin, oui... J'étais dans sa voiture, mais on n'a rien fait. Il voulait juste me montrer une démo. Il m'a demandé de venir voir sa démo...

— Et tu as dit oui.

— Oui, a répondu Kris avant de secouer vivement la tête car elle venait de se rendre compte de sa bévue. C'est-à-dire non !

Tout à coup, c'est Kris qui rougissait.

— Ce n'est pas ce que je voulais dire ! s'est-elle exclamée, trop vite. C'était... c'était tout à fait innocent. Random et moi avons juste parlé. Il me trouve sympa. Il va peut-être m'emmener à la cérémonie des Video Awards... à New York...

Sauf que personne ne la croyait, pas même ses

copines du Droit Chemin. Personne ne la croyait parce que tout le monde l'avait vue flirter avec Random.

— Tu devrais faire attention, Kris, quand tu traites une fille de nympho, a déclaré ma sœur tout en me tenant toujours par le cou. Car nous sommes bien plus nombreuses – elle a marqué une pause et a dévisagé non Kris mais ses copines – que vous.

— M-Mais, je... je ne parlais pas de toi, Lucy ! a bafouillé Kris. Jamais je n'aurais... Personne, je veux dire, personne n'aurait osé TE traiter de nympho.

— Écoute-moi bien, Kris. Si tu as l'intention de dire que ma sœur est une nympho, autant que tu le dises de moi aussi. Car si Sam en est une, alors moi aussi, j'en suis une.

Un silence de mort s'est abattu sur la cafétéria tandis que mes yeux s'emplissaient de larmes. Lucy avait mis sa réputation en danger pour MOI.

C'était la chose la plus gentille qu'elle avait jamais faite. C'était la chose la plus gentille que QUICONQUE avait jamais faite pour moi.

Jusqu'à ce que, dans un coin de la cafétéria, le bruit d'une chaise qu'on repousse brusquement, a retenti. Et qu'une voix grave crie :

— Et moi, je suis un obsédé sexuel !

À ma grande surprise, Harold Minsky s'est avancé vers nous, les épaules rejetées en arrière sous sa chemise hawaiienne.

— Si Lucy et Sam sont des nymphos, alors, moi, je suis un obsédé sexuel, a-t-il répété.

— Oh, *Harold*, a murmuré Lucy d'une voix que je ne lui connaissais pas – en tout cas, que je ne lui avais jamais entendue en présence de Jack.

Les joues de Harold sont devenues aussi rouges que les fleurs de sa chemise, mais il ne s'est pas dérobé.

— Solidarité de débauchés, a-t-il soufflé avec un petit hochement de tête dans notre direction.

À ce moment-là, Catherine s'est avancée à son tour et est venue se poster derrière Lucy, Harold et moi, avant de déclarer haut et fort :

— *Moi aussi, je suis une nympho.*

Oh, mon Dieu ! J'ai tendu le cou pour essayer de voir le visage de Catherine, mais c'était difficile, étant donné que Lucy ne m'avait toujours pas lâchée.

— Catherine, ai-je murmuré. Tu n'es pas une nympho. Reste en dehors de tout ça.

Mais Catherine a répété, suffisamment fort pour que tout le monde l'entende :

— Si Sam et Lucy sont des débauchées, j'en suis une aussi.

Un bruit confus de voix étonnées s'est répandu parmi les tables. *Catherine*, une débauchée ? Ses parents ne l'autorisaient même pas à aller au lycée en pantalon.

Kris savait qu'elle était dans une mauvaise posture.

Ça se voyait rien qu'à la façon dont ses yeux allaient de nous quatre aux autres élèves, assis aux tables, qui continuaient de la fixer du regard.

— Euh..., a-t-elle fait. Écoutez-moi. Je...

Mais elle n'est pas allée plus loin. Un raffut, provoqué par les pieds des chaises qui raclaient le sol, est monté de la cafétéria. D'un seul coup, tous les élèves de John Adams Preparatory School se sont levés...

Et ont déclaré à leur tour qu'ils étaient eux aussi des débauchés.

— Je suis un débauché ! s'est écrié Mackenzie Craig, le président à lunettes du club d'échecs... qui n'était jamais sorti avec une fille.

— Moi aussi ! a lancé Tom Edelbaum, le premier rôle dans la version de *Godspell* que montait en ce moment le club de théâtre.

— Et moi, je suis le plus grand obsédé sexuel qui existe sur Terre ! a renchéri Jeff Rothberg, le petit ami de Debra Mullin, les poings serrés, comme s'il s'apprêtait à se battre avec quiconque tenterait de lui voler ce titre.

— *On est tous des débauchés !* a crié l'équipe d'athlétisme du lycée en bondissant d'excitation.

Bientôt, tous les élèves présents dans la cafétéria – à l'exception de Kris et des membres du Droit Chemin – étaient debout et revendiquaient leur statut de débauché.

C'était magnifique.

Quand le principal est entré, tout le monde chantait :

— *Je suis un débauché ! Tu es une débauchée ! On est des débauchés ! Je suis un débauché ! Tu es une débauchée ! On est des débauchés !*

Voyant que ses appels au calme ne servaient à rien, le principal a appelé l'entraîneur de foot à sa rescousse et lui a demandé de donner plusieurs coups de sifflet, ce que ce dernier s'est empressé de faire, et tellement fort qu'on a dû se boucher les oreilles et arrêter de chanter.

Adieu la solidarité des débauchés.

— Que se passe-t-il ici ? s'est écrié le principal une fois le silence revenu et tout le monde de retour à sa place.

— Elle a traité ma sœur de nympho, a répondu Lucy en montrant Kris du doigt.

— Ce n'est pas... ce n'est pas ça ! s'est défendue Kris. Enfin, si, mais... c'est parce qu'elle le méritait. Après ce qu'elle a fait hier !

— Elle me traite de nympho chaque fois qu'elle me croise dans le lycée, est intervenue Debra Mullins du fond de la salle. Et je n'ai *rien* fait hier soir.

— N'est-ce pas une violation du code de conduite des élèves de John Adams Preparatory School que de proférer des remarques désobligeantes à quelqu'un concernant son orientation et/ou ses prétendues activités sexuelles, monsieur le principal ? a demandé Harold Minsky.

Le principal a observé Kris et son petit groupe d'amies avant de répondre :

— En effet.

— Monsieur le principal, cette histoire n'est qu'un fâcheux malentendu dont j'aimerais pouvoir m'expliquer, a déclaré Kris.

— J'ai hâte d'entendre vos explications, mademoiselle Park. Dans mon bureau. Et tout de suite.

L'air *dépité* (définition donnée par les annales : qui éprouve du dépit, c'est-à-dire du chagrin mêlé de colère, dû à une déception personnelle, un froissement d'amour-propre), Kris lui a emboîté le pas et ils sont partis.

Aucune de ses amies du Droit Chemin ne l'a accompagnée. Pire, elles l'ont suivie du regard en donnant l'impression de ne pas la connaître.

À peine Kris avait-elle quitté la cafétéria que j'ai eu envie de pleurer. Non pas parce que Kris avait cherché à m'humilier devant tout le monde – comme si je n'avais pas déjà prouvé que j'étais tout à fait capable de le faire toute seule, comme une grande et sans l'aide de personne.

Non, j'avais envie de pleurer parce que je mesurais ma chance. Sérieux. C'est une véritable chance que d'avoir une sœur comme Lucy et une amie comme Catherine... sans parler de tous ceux dont je ne soupçonnais même pas l'amitié, comme Harold Minsky.

— C'était... c'était super sympa d'avoir pris ma défense, ai-je dit, les larmes aux yeux.

— Ne t'inquiète pas, Sam. Je suis prête à recommencer quand tu veux, a déclaré Catherine en me tapotant la main.

Je me suis tournée vers Harold et Lucy. À mon avis, ni l'un ni l'autre n'avaient prêté attention à mes remerciements. Lucy tenait Harold par le bras et lui disait :

— Merci, Harold. j'ai été très touchée par ce que tu as fait pour moi.

— Je ne peux pas rester les bras ballants devant une injustice sociale. Et puis, je ne savais pas que... que tu étais une *insurgée* (définition donnée par les annales : qui se soulève contre l'autorité). J'ai toujours pensé que tu étais plutôt du genre à... à suivre. Je crois que je t'ai complètement sous-estimée.

— Oh, mais je suis une VRAIE insurgée ! s'est exclamée Lucy en exerçant une légère pression sur son bras. La vue du sang ne me fait rien.

Enfin, plus ou moins.

— Écoute, Harold, a poursuivi Lucy. Puisque tu ne pouvais pas la semaine dernière, peut-être aimerais-tu qu'on aille au cinéma ce week-end. Tous les deux ?

— Lucy, a répondu Harold d'une voix bien plus

aiguë que d'habitude – soit parce qu'il était timide, soit parce que Lucy lui faisait mal au bras –, je ne pense pas que... que ce soit une bonne idée. Nous devrions nous en tenir à une relation strictement... professionnelle.

Lucy a aussitôt lâché son bras, comme si elle venait de se brûler.

— Oh ! a-t-elle fait, au bord des larmes. Je vois. Très bien.

— C'est juste que... tes parents m'ont engagé pour te faire réviser. Ce ne serait pas juste qu'on se voie en dehors des cours, tu comprends ?

Lucy semblait complètement abattue jusqu'à ce que Harold ajoute :

— Du moins, tant que tu n'auras pas passé ton examen... et que tu l'auras réussi.

Elle a alors levé les yeux vers lui, comme si elle n'en croyait pas ses oreilles.

— Tu veux dire que... après mon examen, tu voudras bien sortir avec moi ?

— Si tu veux, a répondu Harold, avec l'air de penser que d'ici quelques semaines ma sœur aurait changé d'avis.

Ce qui prouve qu'il connaissait mal Lucy.

En même temps, j'avais le sentiment, à en juger par le regard brillant de Lucy tandis qu'elle le reprenait par le bras, qu'il ne tarderait pas à *bien* la connaître.

— Je peux te promettre deux choses, Harold, a-t-elle repris.

Harold l'a dévisagée, comme un homme en plein rêve. Puis, un sourire est apparu sur ses lèvres, aussi brillant que le lever du soleil sur le fleuve Potomac (je tiens à préciser que je n'ai jamais assisté au lever du soleil sur le Potomac ; il faut se lever aux aurores !) et il a dit :

— Premièrement : Je serai toujours aussi beau.

Lucy a souri à son tour.

— Et deuxièmement, a-t-elle dit, je ne renoncerai jamais à toi. Jamais.

Une minute. J'avais déjà entendu ça quelque part.

Mais oui ! *Hellboy.* C'était des répliques de *Hellboy*.

Apparemment, la relation qui naissait là était partie pour durer. Très longtemps, même.

— Bon... eh bien, moi, j'y vais, a dit Debra. Salut tout le monde !

Et sur ces paroles, elle est allée rejoindre Jeff Rothberg qui l'attendait, à une table un peu plus loin. Une fois devant lui, elle s'est assise sur ses genoux et l'a embrassé sur la bouche.

Voilà. Les choses étaient redevenues normales à Adams Prep.

Mais dans le bon sens, cette fois.

— Tu as vraiment vu Kris Park dans la limousine

de Random Alvarez ? ai-je demandé à Lucy tandis qu'on rejoignait nos classes respectives.

Comme Lucy avait l'air encore dans les nuages à cause de Harold, j'ai dû la pincer plusieurs fois pour attirer son attention.

— Aïe ! Tu n'es pas obligée de me faire mal ! Bien sûr que je l'ai vue. Qu'est-ce que tu crois ? Que je suis du genre à mentir ?

— En fait, je pense que tu es du genre à mentir... pour moi. Parce que les vitres de la limousine de Random sont teintées. On ne peut pas voir ce qu'il se passe à l'intérieur.

— Tu sais quoi, Sam ? a fait Lucy, l'esquisse d'un sourire sur les lèvres, tu ferais mieux de foncer aux toilettes et te recoiffer. Ça rebique à l'arrière et franchement, ce n'est pas terrible. À ce soir !

Et elle m'a plantée là, sa minijupe écossaise se balançant de droite à gauche tandis qu'elle marchait.

Tout en la regardant disparaître au fond du hall, je me suis dit que je ne saurais probablement jamais la vérité.

Et je me suis dit également que je m'en fichais.

Dix choses que vous ne savez probablement pas au sujet de Camp David :

10. Situé à une centaine de kilomètres de la Maison Blanche dans les montagnes Catoctin du Maryland, Camp David a été construit en 1942 pour que le président puisse s'y reposer et se détendre, l'été, loin de la chaleur humide de Washington, D.C.

9. À l'époque de Franklin Delano Roosevelt, Camp David s'appelait Camp Shangri-La, en hommage au « paradis sur terre », ces paysages de montagnes somptueux, aux portes du Tibet, qu'évoquait James Hilton, dans *Lost Horizon.*

8. En 1953, le président Eisenhower le renomme Camp David, en l'honneur de son petit-fils, David.

7. Le personnel qui travaille à Camp David relève de la Marine, et les troupes chargées de sa sécurité appartiennent aux Marine Barracks, de Washington, D.C.

6. Les invités de Camp David peuvent se baigner dans la piscine, s'exercer au golf sur le green, jouer au tennis, monter à cheval et faire du sport dans le gymnase.

5. Camp David est constitué de plusieurs bungalows autour de la maison principale, où loge le président. Les bungalows s'appellent : Dogwood, Maple, Holly, Birch et Rosebud. La maison principale s'appelle Aspen Lodge.

4. Camp David a été le site de plusieurs rencontres internationales historiques. C'est là que, pendant la Seconde Guerre mondiale, le président Franklin Roosevelt et le Premier ministre anglais, Winston Churchill, ont préparé l'invasion de l'Europe par les troupes alliées.

3. De nombreux événements historiques se sont déroulés à Camp David, dont la préparation du débarquement en Normandie, les rencontres Eisenhower-Khrouchtchev, la préparation pour le débarquement de la baie des Cochons, les conférences de stratégie concernant la guerre

du Vietnam et bien d'autres sommets avec d'importants dignitaires et invités étrangers.

2. Le président Jimmy Carter a choisi Camp David pour recevoir les leaders du Moyen-Orient, et c'est là qu'ont été signés les accords de Camp David, entre Israël et l'Égypte.

Mais ce que vous ne savez certainement pas sur Camp David, c'est que :

1. Ça allait devenir le lieu où moi, Samantha Madison, allait faire l'amour pour la première fois avec un garçon.
   Enfin, peut-être.

14

— Encore des patates douces, Sam ? m'a demandé la première dame des États-Unis.

— Euh... non merci.

J'avais déjà mangé tellement de patates douces que j'étais sûre d'exploser si j'en reprenais ne serait-ce qu'une bouchée.

C'est ça le problème quand on est difficile et qu'on va manger chez quelqu'un. En fait, il y a peu de choses que j'aime, et le repas de Thanksgiving est un vrai cauchemar pour moi. Je déteste à peu près tout ce que les Pèlerins ont mangé. Et je ne supporte pas la farce. Vous ne pouvez pas imaginer ce qu'on y met. Quant aux seuls ingrédients qu'on parvient encore à identifier après la cuisson, comme les raisins secs, je trouve ça dégoûtant.

Je ne mange rien qui soit rouge, à l'exception du

ketchup et de la sauce des pizzas, ce qui élimine pratiquement tout ce qui contient des tomates fraîches. Pas de canneberges et pas de – berk – betteraves.

Tous les légumes m'écœurent, donc pas de petits pois non plus, ni de carottes, ni de haricots verts ni – au secours ! – de choux de Bruxelles.

Je ne suis même pas fan de la dinde. Je n'aime, en fait, que la carcasse, mais comme tout le monde semble penser que ça ne se mange pas, on ne me propose que le blanc. Ce que je déteste, parce que même cuit par le chef de la Maison Blanche, c'est super sec.

Conclusion : tout ce que je mange au repas de Thanksgiving, c'est les patates douces.

Et encore, ce ne sont pas les patates douces que j'apprécie, mais la sauce avec laquelle elles sont servies.

Dans ma famille, il est admis que pour le repas de Thanksgiving, je me contente d'un sandwich au beurre de cacahuète. Tous les ans, ma grand-mère me le prépare avec amour, en n'oubliant pas de retirer la croûte du pain, évidemment.

Bien sûr, quand j'étais petite mes parents se plaignaient, parce que je ne voulais même pas goûter ce qu'ils prenaient la peine de cuisiner. Mais avec les années, ils s'y sont faits et, maintenant, ils me fichent la paix. Après tout, ce n'est pas comme si je mourais de faim !

Sauf que cette année, c'était mon premier Thanksgiving avec David et sa famille, et que je n'avais évidemment pas eu l'occasion de les habituer à mes petites manies.

Résultat, j'ai dû faire semblant de manger ce qui se trouvait dans mon assiette. En réalité, j'arrangeais la nourriture en jolis petits tas (je ne recommencerai plus à chercher à tout cacher dans ma serviette, je l'ai fait une fois, ça m'a servi de leçon, croyez-moi) en attendant de pouvoir m'enfermer dans ma chambre où m'attendait le sandwich au beurre de cacahuète que je m'étais préparé avant de partir et que j'avais rangé dans mon sac.

Juste à côté de la boîte de préservatifs que m'avait donnée Lucy.

À laquelle j'essayais de ne pas penser.

De toute évidence, David faisait la même chose (essayer de ne pas penser à notre nuit d'amour). Dès notre arrivée à Camp David – on a pris le *Marine One*, l'hélicoptère du président –, il a sorti toutes sortes de jeux de société étant donné que le temps ne se prêtait à aucune activité en plein air.

Il pleuvait.

Il tombait même des trombes d'eau.

La pluie n'était cependant pas le seul détail annonçant que ce week-end de Thanksgiving à Camp David n'allait pas exactement être une partie de plaisir. Le matin, je m'étais réveillée avec un énorme bouton sur le menton. À cause du stress. On ne le voyait pas trop, mais moi, je le SENTAIS. Et il me faisait super mal.

Mais je n'avais pris aucun de ces signes – la pluie ou le bouton – comme la manifestation de favorables *auspices* (définition donnée par les annales : dans l'Antiquité romaine, observation des oiseaux, présage tiré du vol, des mouvements, de l'appétit, du chant des oiseaux, etc.). Et apparemment, j'avais eu raison vu comment ma journée s'était déroulée jusque-là.

J'avais toujours pensé que le président des États-Unis vivait dans le luxe. Par exemple, je pensais que la Maison Blanche, c'était un peu comme un château, avec des peaux de bête dans toutes les pièces.

Si la Maison Blanche est une belle demeure, elle n'est pas non plus immense. Évidemment, elle est mieux que la moyenne des maisons américaines – il y a quand même une piscine et un terrain de bowling. Mais les plus jolis meubles sont super vieux, et on n'a même pas le droit de s'en servir. Quant aux autres meubles, ils ressemblent à ceux qu'il y a chez moi, ou chez Catherine. Bref, ce sont des meubles tout à fait normaux.

Eh bien, Camp David, c'est encore plus quelconque. Attention, je ne dis pas que c'est tout petit. C'est même plutôt grand et il y a plusieurs bungalows disséminés dans le parc. Il y a aussi une piscine bien sûr, et un gymnase.

Mais ce n'est pas somptueux. En tout cas, ça ne

ressemble pas à l'idée qu'on peut se faire de la résidence secondaire d'un chef d'État.

À mon avis, c'est parce que les Pères fondateurs refusaient la notion d'une classe régnante. Et aussi, parce que le président ne gagne pas tant d'argent que ça. Du moins, comparé aux salaires de mes parents.

Bien sûr, la famille de David a de l'argent, grâce aux compagnies de pétrole que son père dirigeait avant de devenir gouverneur puis président. Mais quand même...

Bref, tout ce que je dis, c'est que Camp David, ce n'est pas un palais. C'est plus comme un... un camping.

Ce qui rend l'endroit étrange pour quelqu'un qui doit y perdre sa virginité.

Ou ne PAS la perdre, d'ailleurs. J'y avais en effet énormément réfléchi au cours des dernières vingt-quatre heures, et en vérité, je ne l'étais pas.

Prête, je veux dire.

Oui, je SAIS ce que j'ai annoncé à la télévision nationale (bon d'accord, sur une chaîne câblée). Je sais que tout le monde – y compris ma grand-mère – pense que je suis quelqu'un de sexuellement actif.

Je sais aussi que le pire est déjà arrivé – être publiquement accusée d'être une nympho par Kris Park.

Mais ce n'est pas parce que tout le monde pensait que je l'avais déjà fait que c'était une bonne raison pour le faire. C'est tout de même un grand pas à franchir. Coucher avec un garçon entraîne d'énormes responsabilités. Cela marque la fin de l'innocence. Sans parler du risque des MST ou d'une grossesse non désirée. Vous ne trouvez pas que ça fait beaucoup ?

Surtout quand – soyons réaliste – la vie au lycée n'a rien de folichon.

Bref, j'avais pris ma décision.

Il ne me restait plus qu'à l'annoncer à David.

Ce qui expliquait peut-être pourquoi j'avais tant de mal à manger. Après tout, David pensait que ça allait être la fête, ce soir. Je suis sûre qu'il le pensait. J'avais bien vu ses yeux pétiller de malice quand il avait sorti son *parcheesi* (eh oui ! ce jeu existe vraiment) dans l'après-midi. Il n'arrêtait pas de me faire des clins d'œil tout en lançant les dés.

Eh bien, tant pis pour lui. J'allais détruire tous ses rêves d'adolescent. Et lui, il allait me haïr.

Pas étonnant que je ne puisse rien avaler.

En tout cas, j'ai éprouvé un véritable soulagement lorsque la première dame des États-Unis nous a autorisés à sortir de table, David et moi, pour regarder le dernier Adam Sandler (le président reçoit les DVD bien avant leur mise en vente sur le marché). Le film m'a permis de penser à autre chose. Enfin, plus ou moins... jusqu'à ce que David me conduise à la porte de ma chambre – qui se trouvait dans la maison principale et non dans l'un des bungalows – et me dise :

— Bonne nuit, Sam, d'une drôle de voix – une voix qu'il avait sans doute travaillée pour que ses parents l'entendent.

Parce qu'il savait que ni lui ni moi ne dormirions.

Du moins tout de suite.

J'étais complètement paniquée quand j'ai refermé la porte derrière moi. Ma chambre était un bel exemple de l'austérité qui régnait dans la résidence secondaire du président. C'était une chambre tout à fait ordinaire, lambrissée de panneaux de bois peints en bleu, avec, sur le lit, une couverture bleu marine. Le long d'un des murs, des étagères offraient toute une sélection de livres – je ne plaisante pas – sur les oiseaux et l'ornithologie. J'avais également ma propre salle de bains et une vue sur le lac. Mais sinon, pas grand-chose d'autre.

Quoi qu'il en soit, c'était là, dans cette chambre, que David pensait qu'on le ferait. Une fois que ses parents auraient regagné leur propre chambre et qu'il m'aurait rejointe.

Voilà pourquoi je me sentais tellement...

Nauséeuse.

Ce n'était pas juste à cause de la sauce des patates douces. Ni à cause du sandwich au beurre de cacahuète que j'avais englouti en faisant le tour de la chambre.

En parlant de sandwich, une fois que je l'ai eu mangé, je me suis demandé quoi faire. Il était inutile de me préparer pour me coucher. Qui sait en effet comment réagirait David en me voyant en pyjama ? Cette vision pourrait enflammer ses sens et ça deviendrait plus difficile pour lui d'accepter mon refus. Attention, je ne dis pas que mon pyjama est super sexy. Il est en coton, décoré de petites valises sur lesquelles on peut lire *Bon voyage* (ma grand-mère me l'a offert l'an dernier, pour mon anniversaire, quand j'ai dû aller à New York pour l'exposition de peinture présentant des œuvres d'adolescents du monde entier).

Non, il valait mieux que je reste habillée. Je me suis alors assise au bord du lit et j'ai attendu. David n'allait pas tarder. Il allait frapper à ma porte d'ici une minute ou deux, c'est-à-dire dès qu'il serait assuré que ses parents dorment à poings fermés. Il était plus de minuit, et comme les chefs d'État se lèvent toujours aux aurores, ses parents devaient être dans les bras de Morphée depuis un moment.

Bref, David allait arriver d'un instant à l'autre.

Et j'étais prête. Je m'étais répété mon petit discours. Je le regarderais tendrement dans les yeux et je lui dirais : « David, tu sais que je t'aime. C'est vrai que j'ai annoncé à la télévision nationale (bon, d'accord, sur une chaîne câblée) que j'étais prête à dire oui au sexe. Mais le fait est que... je ne suis pas prête. Je sais que tu m'aimes suffisamment pour le comprendre, et que tu attendras. Parce que c'est ça, le vrai amour. C'est avoir la force d'attendre. »

J'avais repiqué la dernière phrase au pin's que les filles du Droit Chemin avaient distribué un jour à la cafétéria. C'était un pin's en forme de cœur, sur lequel on pouvait lire : *L'amour... c'est avoir la force d'attendre.* À l'époque, ça nous avait fait rire, Catherine et moi.

Aujourd'hui, je lui trouvais bien plus de sens.

Mais pourquoi donc est-ce que j'avais accroché ce pin's sur la poitrine de Sally, ma figurine de *L'Étrange Noël de Mister Jack* ? J'aurais pu m'en servir ce soir ! J'aurais pu le donner à David, comme le symbole de mon engagement à faire l'amour avec lui un jour. Mais un AUTRE jour qu'aujourd'hui.

Je me voyais très bien le lui donner, et peut-être même dire quelque chose de mémorable et de touchant. Quelque chose comme : « Hé, toi, là-bas : fiche-lui la paix. Pour elle, je suis prêt à revenir, et le jour où ça arrivera, tu le regretteras. »

Après tout, la situation se prêtait à citer *Hellboy*, non ?

En tout cas, j'étais prête. Je m'étais brossé les dents – pour que mon haleine soit parfumée au moment où je lui annoncerais que ce ne serait pas pour ce soir – et j'avais examiné mon bouton. Aucune amélioration de ce côté-là. La bonne nouvelle, en revanche, c'est qu'on ne le voyait toujours pas, même sans maquillage. Je pouvais juste le sentir, prêt à se manifester à la première occasion. Je ne me maquille pas vraiment, je mets juste un peu de mascara et de gloss. Mais j'ai gardé le mascara pour la scène de la déception en douceur, histoire que mes cils soient de la même couleur que mes cheveux. Je ne sais pas pourquoi, mais je me disais que j'avais intérêt à être le plus en beauté possible au moment de LA conversation, même si David m'avait déjà vue au pire de ma forme.

J'étais donc prête, et j'attendais. Il n'y avait qu'une seule chose qui manquait.

C'était David.

Qu'est-ce qu'il fabriquait ? Une heure au moins s'était écoulée depuis qu'il m'avait dit bonne nuit. Il était presque minuit et demi.

J'ai recommencé à me sentir nauséeuse, mais différemment. Et si David avait changé d'avis ? me suis-je brusquement demandé. Est-ce que j'avais fait quelque chose qui ne lui donnait plus envie de coucher avec moi ? Est-ce que c'était à cause de mon bouton ? Il l'avait remarqué ?

Non, impossible. Jamais un garçon refuserait de coucher avec une fille sous prétexte qu'elle a un bouton.

Mais... à propos. Je ne voulais pas coucher avec lui. Alors, qu'est-ce que j'en avais à faire, qu'il ne vienne pas me rejoindre !

À moins qu'il ne s'agisse d'autre chose. Quelque

chose qui avait un rapport avec MTV ? Est-ce que mon annonce à la télévision nationale (bon, d'accord, sur une chaîne câblée) avait tué la spontanéité ? Dans *Cosmo*, ils disent tout le temps qu'il faut rester spontané quand on décide de faire l'amour avec un garçon. Est-ce que j'avais gâché la spontanéité de David ?

Et alors ? Tant mieux puisque je ne veux PAS le faire.

Mais ça paraissait peu probable. Faire l'amour ne représente pas la même chose pour les garçons que pour les filles. Du moins, c'est ce qu'on dit. Oh, bien sûr, les garçons veulent TOUS le faire. Mais ils ne se prennent pas la tête comme nous. Ils le font, point final.

C'est-à-dire que ça se passe comme ça dans des films comme *American Pie*.

Où pouvait-il bien être ? J'en avais assez d'attendre ! Je voulais juste lui dire que je n'étais pas prête et en finir avec cette histoire.

J'ai attendu encore cinq minutes. Toujours pas de David.

Et s'il lui était arrivé quelque chose ? S'il avait glissé dans la baignoire, s'était heurté la tête et gisait, là, inconscient, bouche ouverte, ses poumons se remplissant d'eau pendant que j'étais assise au bord de mon lit ?

Pire. Et s'il avait tout simplement changé d'avis ?

MAIS IL NE POUVAIT PAS AVOIR CHANGÉ D'AVIS ! ! ! !

Avant même de réfléchir à ce que je faisais, je me suis levée d'un bond et je me suis dirigée vers la porte. Comment osait-il me faire ça ? Comment osait-il changer d'avis après m'avoir fait vivre un tel calvaire ! Ce n'était certainement pas LUI qui allait décider si on allait le faire ou pas ! C'est MOI qui décidais. J'avais d'ailleurs pris la décision bien longtemps avant LUI.

Je me suis élancée le long des couloirs sombres et déserts en pensant à toutes les choses que j'allais lui dire – ou ne PAS lui dire. Il pouvait faire une croix sur les répliques de *Hellboy* ! Il avait eu l'occasion de m'entendre les lui dire et il avait GÂCHÉ cette chance. Terminés les *L'amour... c'est avoir la force d'attendre*. C'est *Bon voyage* auquel il allait avoir droit maintenant.

Arrivée devant la chambre de David, j'ai vu un rai de lumière qui filtrait sous la porte. Donc, il ne dormait pas. Il était encore réveillé ! Mais il avait eu la flemme de se lever pour venir me trouver et m'annoncer que, finalement, il n'avait plus envie. Merci ! Merci de me le faire savoir ! Qui sait combien de temps encore je serais restée debout, à attendre de pouvoir lui dire : « Non, je ne suis pas prête », avant de m'apercevoir qu'il ne viendrait finalement pas ?

Ce qui explique pourquoi j'ai ouvert sa porte en

grand sans prendre la peine de frapper et que je me suis tenue là, à le fusiller du regard, la poitrine haletante. Une vraie tueuse.

David a levé les yeux du livre qu'il lisait, assis dans son lit.

C'était un livre sur l'architecture.

Il LISAIT pendant que moi, sa petite amie, je l'attendais depuis des HEURES, assise sur le rebord de mon lit.

Je dois dire qu'il a paru plus qu'étonné par ma venue.

— Sam, a-t-il commencé en refermant son livre – mais en prenant soin de laisser son index entre les pages pour pouvoir reprendre sa lecture là où je l'avais interrompu – que se passe-t-il ? Tout va bien ? Tu n'es pas malade, j'espère ?

Mon sang n'a fait qu'un tour.

— Malade ? ai-je répété ? MALADE ? Oui, je suis malade, malade de t'ATTENDRE !

Devant mon éclat, il a retiré son index et a posé son livre. Il semblait inquiet.

J'ai remarqué aussi qu'il était super mignon. En fait, comme il ne portait pas de tee-shirt, il était surtout super sexy. Mais c'est vrai que David est toujours super sexy.

— M'attendre ? Mais m'attendre pour quoi ? a-t-il dit, étonné.

Je n'en revenais pas. JE N'EN REVENAIS PAS

QU'IL ME DEMANDE ÇA. Sexy ou pas. C'était quoi cette question ?

« POUR QU'ON COUCHE ENSEMBLE ! » ai-je failli hurler.

Sauf que, comme je ne voulais pas réveiller ses parents ni les agents des services secrets, j'ai chuchoté.

Mais fort.

David a eu l'air choqué. Son visage, à la lueur de la lampe de chevet, a rougi pour devenir de la même couleur que mes cheveux autrefois.

— Pour qu'on couche ensemble ? a-t-il répété.

— Tu sais très bien de quoi je parle.

Je n'arrivais pas à y croire. Mais qu'est-ce qu'il avait ?

— C'est même toi qui y as fait allusion le premier.

— *Moi ?* s'est exclamé David, sincèrement surpris. Mais quand ?

Il avait un problème ou quoi ? À moins qu'il n'ait vraiment glissé dans la baignoire et ne se soit heurté la tête ?

— Tu ne te rappelles pas ? Quand tu m'as invitée ici pour jouer au *parcheesi.*

— Oui, je me souviens très bien, a répondu David, de plus en plus déconcerté, mais toujours aussi sexy. C'est d'ailleurs ce qu'on a fait tout à l'heure.

CE QU'ON A FAIT TOUT À L'HEURE ? Oh, mon Dieu ! Comment pouvait-il dire ça ?

Et ne pas perdre son charme en le disant.

— Je ne pensais pas à..., a-t-il bafouillé. Quand je t'ai proposé de jouer au *parcheesi*, je parlais de...

Quelque chose de froid m'a brusquement étreint le cœur. Sérieux. Comme si quelqu'un m'avait versé un verre d'eau glacée sur la tête et que les glaçons avaient glissé le long de ma chemise.

Parce que, à l'expression de David – sans parler de la façon dont il se comportait –, c'était clair que lorsqu'il avait dit *parcheesi*, il pensait vraiment... *parcheesi*.

— Mais..., ai-je commencé d'une toute petite voix. Tu... tu disais qu'on était prêts.

— Prêts à passer le week-end ensemble, avec mes parents, a-t-il répondu sur un ton grinçant que je ne lui connaissais pas. C'est tout ce que je voulais dire par « prêts ».

Il a alors écarquillé les yeux et a ajouté :

— Est-ce que c'est de ÇA dont tu parlais l'autre soir ? Quand tu as déclaré que tu avais dit oui au sexe ?

— Bien sûr. À quoi crois-tu que je faisais allusion ?

David a haussé les épaules.

— Je pensais que tu cherchais seulement à essayer

de convaincre mon père. C'est tout. Je ne pensais pas que tu envisageais VRAIMENT... de dire oui au sexe.

Surtout quand il ne me l'avait même pas demandé.

— Oh, ai-je fait.

Avec la brusque envie de mourir.

Parce que tout ça n'avait servi à rien. Tout, l'angoisse, les longues discussions avec Lucy, ma déclaration à la télé, la solidarité des débauchés..., tout ça, pour rien.

Puisque David n'avait JAMAIS pensé qu'on ferait l'amour tous les deux ce week-end. C'est moi, toute seule, qui avais conclu sans réfléchir que « jouer au *parcheesi* » signifiait « faire l'amour ». C'est moi, toute seule, qui, lorsque David m'avait dit qu'il pensait qu'on était prêts, en avais déduit qu'il parlait de faire l'amour. Et c'est encore moi, toute seule, qui avais répondu oui au sexe quand, en réalité, personne ne m'avait même jamais posé la question.

Bref, j'avais nourri toute cette angoisse, je m'étais posé toutes ces questions pour rien.

J'avais affreusement honte.

— Euh..., ai-je fait.

C'était moi à présent qui rougissais. Je n'osais même pas imaginer ce que David devait penser d'une fille qui débarquait en pleine nuit dans sa chambre en lui demandant pourquoi ils n'avaient pas encore fait l'amour. À tous les coups, il devait penser que j'étais FOLLE.

— Eh bien..., ai-je repris. Je... je vais peut-être te laisser.

Le problème, c'est qu'à chacun des pas que je faisais en direction de la porte, je remarquais quelque chose de nouveau.

Comme, par exemple, à quel point David était séduisant dans la lumière dorée de sa lampe de chevet.

Ou à quel point il avait les yeux verts, du même vert que la pelouse du Kentucky Derby.

Ou encore à quel point il semblait gêné, mais gêné de manière touchante – comme seuls les garçons peuvent l'être parfois –, avec ses cheveux qui se hérissaient sur son crâne, là où sa tête avait été en contact avec le mur, quand il lisait.

Ou à quel point j'aurais aimé reposer ma tête contre son torse, si large et rassurant à la fois, et écouter les battements de son cœur...

Tout à coup, je me suis entendue dire :

— Tu peux m'attendre une seconde ?

Comme si David avait l'intention d'aller quelque part.

Et je suis partie en courant pour revenir tout aussi rapidement.

Mais cette fois, encore PLUS essoufflée.

Et un sac en papier à la main.

David y a jeté un coup d'œil puis il a levé les yeux vers moi.

— Sam, a-t-il dit, d'un air méfiant mais pas nécessairement désagréable. Qu'est-ce qu'il y a dans ce sac ?

Je le lui ai alors montré.

15

Quand je suis rentrée à la maison, le lendemain, j'ai découvert avec surprise mon père, assis dans le salon, en train d'écouter Rebecca jouer *New York, New York* à la clarinette.

— Qu'est-ce que TU fais là ? me suis-je écriée tandis que Manet, qui s'était précipité à la porte dès qu'il avait entendu le bruit de ma clé, me faisait la fête.

Rebecca a abaissé son instrument et a dit :

— Excuse-moi, mais je joue.

— Oh, pardon, ai-je répondu, interloquée.

Mon père, qui ne lisait pas le journal et ne parlait pas non plus dans son téléphone portable, bref qui ne faisait rien d'autre qu'écouter sa plus jeune fille, m'a souri d'un air un peu gêné. Mais dès la fin du morceau, il s'est empressé d'applaudir, comme s'il avait vraiment apprécié l'interprétation de Rebecca.

— C'était superbe ! s'est-il exclamé avec enthousiasme.

— Merci.

Là-dessus, Rebecca a tourné une page du recueil qui reposait sur son pupitre et a dit :

— Et maintenant, pour continuer mon hommage aux grandes villes, je vais vous jouer *Gary, Indiana*, de la comédie musicale *The Music Man*.

— Euh... tu peux attendre une seconde, le temps que j'aille re-remplir ma tasse, a dit mon père en lui montrant sa tasse de café vide.

Et avant même d'attendre sa réponse, il a filé dans la cuisine.

J'ai regardé Rebecca.

— Qu'est-ce qui se passe ? ai-je demandé.

— Tu viens d'assister à l'un des grands changements dont papa parlait le soir où tu as dit oui au sexe, a-t-elle répondu avec un haussement d'épaules. Bref, papa et maman ont décidé de passer plus de temps avec nous. J'ai donc décidé de lui jouer tous les morceaux de mon répertoire pour voir combien de temps il était capable de tenir. Je dois dire qu'il m'étonne. Mais à mon avis, encore deux morceaux et il craque.

Sous le choc des révélations de ma sœur, j'ai porté mon sac jusque dans la cuisine, attirée par l'odeur de quelque chose qui cuisait. Et là, stupéfaite, j'ai vu, non pas Theresa, mais ma mère penchée devant la porte du four.

— Tu crois que c'est cuit, chéri ? demandait-elle à mon père tandis que celui-ci remplissait sa tasse de café.

Elle était en train de faire des cookies au chocolat. Oui, vous avez bien lu, ma *mère*, célèbre avocate en environnement, *préparait* des cookies au chocolat, son palm nulle part en vue.

J'en ai lâché mon sac, qui est tombé par terre avec un bruit sourd.

— Sam ! Tu es déjà rentrée ? Je pensais que tu passais le week-end là-bas, s'est exclamée ma mère en jetant un coup d'œil par-dessus son épaule.

— On a dû rentrer plus tôt. Le père de David voulait se réunir avec ses conseillers pour revoir certains points du « retour aux valeurs familiales » avant de présenter son projet au Congrès lundi. Mais qu'est-ce que TU fais ?

— De la pâtisserie, chérie, a-t-elle répondu avant de sortir un plat du four puis de refermer la porte. Attention, c'est chaud ! s'est-elle écriée à l'adresse de mon père qui tentait de chiper un cookie.

— Pourquoi n'êtes-vous pas restés chez grand-mère ?

— Ma mère n'existe plus pour moi, a déclaré mon père en soufflant sur ses doigts à cause du cookie brûlant.

— Richard ! a grondé ma mère.

Puis, elle s'est tournée vers moi et a ajouté :

— Ton père et ta grand-mère ont eu une... petite discussion, et on est rentrés plus tôt.

— Petite ? a répété mon père après avoir bu une gorgée de café pour faire passer le cookie qu'il venait d'engouffrer, histoire de ne plus se brûler les doigts mais la langue. Tu parles d'une petite discussion.

— Richard ! a de nouveau grondé ma mère. Je t'ai dit que ces cookies étaient *chauds*.

Mon père en a tout de même pris deux autres, qu'il a posés sur une serviette en papier.

— À tout à l'heure ! a-t-il lancé avant de se diriger vers le salon, suivi de Manet qui espérait bien récupérer quelques miettes de gâteau. *Gary, Indiana* m'attend.

— Bien, ai-je déclaré en regardant ma mère droit dans les yeux. J'aimerais savoir ce qui se passe ici. Je m'absente une nuit et, à mon retour, tout est chamboulé. Et d'abord, où est Theresa ?

— Je lui ai donné son week-end, a répondu ma mère tout en grattant la plaque du four pour récupérer les quelques cookies qui avaient collé. C'est important qu'elle passe du temps avec sa famille, tu sais, a-t-elle continué. Tout comme il est important qu'on passe du temps avec vous. Ton père et moi en avons discuté et nous sommes d'accord avec le président. Pas avec *tout* ce qu'il a dit, bien sûr, a-t-elle précisé en s'acharnant sur un cookie particulièrement *récalcitrant* (définition donnée par les annales : qui résiste, qu'on ne peut arranger à sa guise). Mais il est temps que nous passions plus de temps avec tes sœurs et toi. Ton père pense que Lucy, par exemple, travaillerait plus si on la surveillait davantage. Et tu sais ce que les profs de Rebecca ont dit sur son problème d'insociabilité. C'est pourquoi ton père et moi allons réduire nos heures de travail. Ce qui signifie que nous allons devoir modifier notre train de vie. D'où la dispute entre ton père et sa mère.

Ma mère a marqué une pause puis, avec une grimace, elle a ajouté :

— Cela dit, je n'étais pas vraiment emballée à l'idée de passer Noël avec elle à Aruba.

Je l'ai dévisagée, à peine capable d'enregistrer ses paroles. Papa et maman allaient passer plus de temps avec nous ?

Était-ce une bonne nouvelle ? Ou une mauvaise nouvelle ? Ou une *très* mauvaise nouvelle ?

— Et pour moi ? ai-je demandé.

— Quoi, pour toi, ma chérie ?

— Eh bien... qu'avez-vous décidé en ce qui me concerne ? Par rapport à ce que j'ai dit à la télé ?

— Oh, ça ! a répondu ma mère en souriant. Tu sais très bien que ton père et moi, on ne se fait pas de souci à ton sujet, Sam. Tu as toujours eu la tête sur les épaules. Mais j'imagine que, si je suis plus souvent à la maison, je pourrais au moins t'empêcher de faire subir un autre traitement à tes pauvres cheveux.

Elle m'a souri à nouveau, histoire de me signifier qu'elle plaisantait... sauf que ça se voyait qu'elle ne plaisantait qu'à moitié.

— Génial, ai-je dit.

Et, totalement médusée, j'ai pris le chemin de ma chambre. Quand mon père avait parlé de grands changements, je ne pensais pas qu'il les envisageait aussi GRANDS.

J'étais tellement sous le choc que je n'ai pas entendu Lucy m'appeler de sa chambre au moment où je passais devant sa porte ouverte. Ce n'est qu'au second « SAM ! » que je me suis rendu compte qu'elle me parlait.

— Tu es rentrée super tôt ! s'est-elle exclamée.

Elle était allongée sur son lit et feuilletait, me semble-t-il, un magazine. Ce devait être le dernier *Vogue* sans doute, ou je ne sais quelle autre revue de mode.

— Vous aussi, ai-je répondu. Est-ce que papa et grand-mère se sont vraiment disputés ?

— Oui, mais tu les connais. Ils auront fait la paix d'ici lundi. Du moins, j'espère, parce que je me suis trouvé un bikini pour Aruba. Au fait... c'était comment ?

— Bien, ai-je répondu en pensant que Lucy, ayant la mémoire courte, avait sans doute oublié notre conversation de la semaine dernière, ou même qu'elle m'avait acheté une boîte de préservatifs.

Mais apparemment, cette conversation avait dû avoir plus d'importance pour elle que je ne le pensais – ou alors, grâce aux cours particuliers de Harold, elle avait appris à améliorer sa mémoire –, car elle m'a lancé, sur le ton de quelqu'un qui prépare un mauvais coup :

— Entre et raconte-moi... TOUT.

Je me suis glissée dans sa chambre et j'ai fermé la porte pour que personne en bas ne puisse nous entendre. Cela dit, vu le volume sonore de la clarinette de Rebecca, c'était peu probable.

— Alors ? a soufflé Lucy tout en m'invitant à m'asseoir à côté d'elle sur son lit. Comment ça s'est passé avec David ? Vous... vous l'avez fait ?

— Eh bien, ai-je commencé. La vérité, c'est que...

— Oui ? m'a coupée Lucy, les yeux grands écarquillés.

— En gros...

J'ai pris ma respiration.

— Je lui ai sauté dessus.

Lucy a poussé un cri et s'est tortillée comme un ver. C'est alors que j'ai remarqué que le magazine qu'elle lisait avec une telle concentration n'était autre que ses annales.

Ouah ! Elle aimait VRAIMENT Harold.

— Comment ça s'est passé ? Raconte-moi tout

DANS LES DETAILS. Vous vous êtes servis des préservatifs ? Tu sais, c'est capital, parce que Heather Birnbaum l'a fait une fois sans protection et elle s'est retrouvée enceinte et, maintenant, elle vit avec sa tante dans le Kentucky.

— Oui, on a utilisé les préservatifs. Merci d'ailleurs.

— Et est-ce que tu... tu as éprouvé du plaisir ? m'a-t-elle demandé tout bas.

— Je crois qu'on va devoir s'entraîner, ai-je dit en rougissant, mais, on est sur la bonne voie.

— C'EST VRAI ? Tiffany m'a dit que lorsque la fille connaissait bien son corps, ça marchait. Je suis contente de savoir qu'elle ne mentait pas.

J'ai froncé les sourcils.

— Attends une minute. Tu n'as pas d'expérience personnelle dans ce domaine ? Comment ça se passait avec Jack ?

— JACK ! s'est exclamée Lucy en éclatant d'un rire hystérique. JACK !

Je l'ai dévisagée.

— Mais.... Lucy, Jack et toi, vous L'AVEZ FAIT, n'est-ce pas ?

Lucy a eu une grimace de dégoût.

— Berk ! Moi ? Avec JACK ? Jamais !

— Tu veux dire que... que tu es encore VIERGE ?

— Évidemment, a-t-elle répondu, surprise par ma question. Qu'est-ce que tu croyais ?

— Mais vous êtes sortis ensemble pendant au moins trois ans, Jack et toi !

— Et alors ?

Pour quelqu'un qui m'avait donné si *allègrement* (définition donnée par les annales : avec un entrain qui suppose une certaine légèreté ou inconscience) une boîte de préservatifs et tant de conseils sur la sexualité des femmes, Lucy paraissait terriblement indignée à l'idée de ne pas être aussi pure que neige immaculée.

— *Lui* voulait, mais pas moi. Ça ne va pas, non ?

— Mais Lucy, me suis-je écriée, c'est toi qui m'as donné les préservatifs !

— Bien sûr, a-t-elle répliqué sur un ton neutre. Je n'allais tout de même pas te laisser aller les acheter toute seule. Ta visite à la pharmacie aurait fait la une de *National Enquirer.* Je te rappelle que c'était avant que tu n'annonces clairement à la télé que tu n'en avais rien à faire qu'on soit au courant de ta vie privée. Mais ça ne signifiait pas que *je* l'avais déjà fait. J'en ai entendu parler, c'est tout. Par Tiffany.

— Mais... l'autre jour, à la cafétéria, tu as dit que tu étais une nympho.

— Oui, a répondu Lucy en agitant sa chevelure dorée. Catherine aussi.

Je n'en revenais pas.

— Tu as dit ça alors... juste pour prendre ma défense. Et Jack et toi, vous... vous ne l'avez...

— Non, jamais fait, a terminé Lucy à ma place. Je t'ai expliqué. Ce n'est pas l'homme de ma vie.

— Mais tu as pensé qu'il l'était. Pendant longtemps, même. Tu ne peux pas me dire le contraire. Tu m'as même avoué qu'il était le premier.

— Oui, mon premier amour. Mais pas mon premier... tu vois ce que je veux dire.

— Mais pourquoi ?

— Je ne sais pas, a fait Lucy en haussant les épaules. Je me suis posé la question. J'ai même cru parfois que c'était PEUT-ÊTRE lui. Le garçon avec qui... tu me comprends. Mais ça n'a jamais été une évidence. Comme pour toi avec David. Ou moi avec... Harold.

— Quoi ? Tu penses que *Harold* est le garçon avec qui...

J'ai dû froncer le nez en disant ça car Lucy m'a coupé la parole pour déclarer, sur un ton défensif :

— Oui. Je le pense. Pourquoi ? Qu'est-ce que tu as contre Harold ?

— Rien, me suis-je empressée de répondre. Je suis sûre que vous serez très heureux ensemble. Après, je veux dire. Après que tu auras passé ton examen et tout ça.

Apparemment apaisée, Lucy a dit :

— Alors, raconte-moi maintenant. Est-ce que ça t'a fait mal ? Et ses parents, ils se sont doutés de quelque chose ? Vous l'avez fait où ? Dans sa chambre ou dans ta chambre ? Et les agents des services secrets ? Ils étaient dans les parages ? Et...

Et ainsi de suite pendant des heures.

Pourtant, même si j'en avais la tête qui tournait à force de répondre à toutes ses questions, je n'en ai pas laissé une seule passer. Je devais bien ça à Lucy. Surtout après ce que je venais de découvrir.

Et puis, c'était le moins que je puisse faire.

Après tout, les sœurs, ça sert à ça.

— Sam ! Tu es venue !

Dès qu'elle m'a vue franchir la porte de Potomac Video, Dauntra a agité la main avec frénésie.

Eh bien, moi qui pensais qu'elle m'en voudrait d'avoir été le porte-parole de l'initiative fasciste du président ! Même si j'avais refusé au dernier moment de véhiculer son idéologie.

— Salut, Dauntra ! ai-je lancé en me glissant derrière le comptoir pour la rejoindre. Tu as passé un bon Thanksgiving ?

— Bof, a-t-elle fait. Et toi ? Je croyais que tu devais aller chez ta grand-mère.

— Oui, mais je suis allée à Camp David à la place.

Dauntra a émis un long sifflement.

— *Camp David* ? La maison de campagne du président ?

— Hum, hum.

— Ouah ! Et il a accepté que TU viennes ? Après que tu lui as manqué de respect à la télé ?

— Je ne lui ai pas manqué de respect, ai-je corrigé, légèrement mal à l'aise. Je lui ai juste fait remarquer qu'il y avait peut-être une meilleure façon de faire que... celle qu'il suggérait.

— *Tu lui as fait remarquer* ? a répété Dauntra avec un large sourire. Hé, t'es cool !

J'ai jeté un coup d'œil par-dessus mon épaule en me demandant à qui elle s'adressait. Mais les seules autres personnes présentes dans la boutique étaient des fans de science-fiction, agglutinés devant les DVD de Kiyoshi Kurosawa.

— Qui ? MOI ?

— Oui, toi, a répondu Dauntra. On n'en revient pas de la façon dont tu as remis ce guignol à sa place, et sans sit-in !

— Euh... merci, ai-je fait, légèrement gênée mais ravie en même temps.

C'est vrai, quoi. Il n'y a pas beaucoup de gens qui pensent que je suis cool. À part mon petit ami, bien sûr. Et ma grande sœur.

— Je suis sérieuse. Kevin aimerait savoir si tu veux venir, un de ces quatre. Traîner avec nous, quoi.

— Chez toi ?

Mon cœur a fait un bond. Jamais je n'aurais imaginé que quelqu'un d'aussi fabuleux que Dauntra me propose un jour de « traîner » avec elle et sa bande.

D'accord, on est des collègues et on s'entend plutôt bien. Mais la voir EN DEHORS de nos heures de travail ?

— Sûr ! J'adorerais. Je pourrais amener David ?

— Le fils du président ? s'est exclamée Dauntra avec un haussement d'épaules. Pourquoi pas ? Ça peut être drôle. Eh, au fait, tu m'as donné une idée !

Là-dessus, elle a sorti une feuille de papier soigneusement pliée en deux.

— Quand Stan fouillera mon sac, ce soir, je lui filerai ça. Regarde.

— C'est quoi ? ai-je demandé en dépliant la feuille.

— Un mail de mon avocate, a répondu Dauntra fièrement. Elle fait partie du syndicat des libertés civiles. Elle a accepté de s'occuper de mon affaire. Je me suis dit que ça marcherait mieux que le sirop d'érable. J'ai décidé de marcher sur les traces de Samantha Madison.

J'ai cligné des yeux plusieurs fois.

— Engager un avocat du syndicat des libertés civiles pour empêcher ton patron de fouiller dans ton sac à la recherche d'éventuels DVD volés, c'est marcher sur les traces de Samantha Madison ?

— Oui. Et c'est bien mieux que faire un sit-in. Premièrement, tu te salis moins. Et quand mon avocate aura fait la peau de la direction ici, je te parie que je serai propriétaire de la boîte.

— Ouah ! me suis-je écriée en lui rendant son mail. Je suis très impressionnée.

— C'est grâce à toi ! Au fait, tu t'es bien amusée ?

Je l'ai observée avec curiosité.

— Bien amusée ? ai-je répété.

— Eh bien, à Camp David. Qu'est-ce que vous avez fait ? Ça doit être un peu rasoir, non ? En plus, il a plu tout le temps.

— Oh, ai-je fait en tripotant le pin's *L'amour... c'est avoir la force d'attendre* accroché à la poitrine de la figurine représentant Sally. On s'est occupés.

— Oh, non ! a lâché Dauntra.

Quelque chose dans sa voix m'a fait lever les yeux. Elle me scrutait du regard de façon très intense.

— Non, Sam, a-t-elle répété. Est-ce que David et toi... *vous l'avez fait* ?

— Euh...

J'ai senti que mes joues – pour la millième fois au moins de la journée – s'empourpraient. J'ai jeté un coup d'œil autour de moi pour voir si Chuck ou Stan ou qui que ce soit d'autre m'avait entendue.

Mais il n'y avait que M. Wade, et pour l'instant, il était occupé à consulter les nouveautés de la section art et essai.

— Euh..., ai-je refait.

Mais après tout, je n'avais aucune raison d'être sur la défensive. Ce n'était pas Kris Park qui se tenait devant moi, c'était DAUNTRA. Dauntra n'allait pas me traiter de nympho. Jamais Dauntra n'appellerait qui que ce soit comme ça. Sauf peut-être Britney Spears. Mais là, c'est normal.

— Oui, ai-je donc répondu, mais la bouche un peu sèche. On l'a fait.

Dauntra, qui était accoudée à la caisse enregistreuse, a pris son menton dans sa main et, avec un soupir, m'a demandé, l'air rêveur :

— Et c'était BON ?

J'ai sursauté.

— Qu'est-ce qui était bon ?

— Excusez-moi.

M. Wade s'était approché de nous.

— Je me demandais si vous aviez reçu le DVD que j'ai commandé. Je m'appelle Wade. W...

— A-D-E, a terminé Dauntra à sa place. On sait qui vous êtes ! Vous venez ici tous les jours !

Devant l'éclat de Dauntra, M. Wade en est resté bouche bée.

— Je ne pensais pas que vous vous souveniez de moi.

— Comment peut-on vous oublier ? a rétorqué Dauntra en attrapant un DVD derrière elle. Tenez.

Puis, en se tournant vers moi, elle a ajouté :

— Le sexe. C'est bon, hein ?

J'ai épié M. Wade du regard. On aurait dit que ses yeux sortaient de leurs orbites.

— Oui, ai-je répondu. C'était super bon.

— Comment s'est passé ton week-end de Thanksgiving ? m'a demandé David quand on s'est retrouvés, le mardi suivant, au cours de Susan Boone.

Il affichait son sourire vorace, signe qu'il plaisantait. Pourtant, je lui ai répondu le plus sincèrement du monde :

— Très bien. Et toi ?

— Moi ? Super, a-t-il dit en me faisant un clin d'œil. C'était même le plus beau Thanksgiving de ma vie.

On s'est installés tous les deux, un sourire béat aux lèvres, jusqu'à ce que Rob nous bouscule avec son carnet de croquis en marmonnant dans sa barbe parce qu'il avait oublié ses crayons. À ce moment-là seulement, on s'est rappelé qu'on n'était pas seuls et on a sorti nos fusains et nos gommes.

En même temps, je n'arrivais pas à arrêter de sourire. Parce que je me rendais compte que toutes ces histoires qu'on raconte sur les couples qui, une fois qu'ils l'ont fait, ne parlent plus que de ça ou ne pensent plus qu'à ça, eh bien, c'était faux. Attention, je ne suis pas en train de dire que je n'y REPENSAIS pas. J'y repensais, beaucoup, même.

Mais je ne pensais pas qu'à ça.

Et je sais que c'était pareil pour David. Je le sais, parce que notre relation n'avait pas vraiment changé. Il m'appelait toujours le soir et le matin, dès qu'il se réveillait.

C'est pourquoi il avait été l'un des premiers à apprendre qu'il n'y avait pas que chez nous que des grands changements s'étaient produits. Quand j'étais retournée au lycée, le lundi, j'avais découvert que là aussi, certaines choses avaient changé au cours du week-end de Thanksgiving. Par exemple, le club du Droit Chemin n'existait plus, car toutes les filles qui en étaient membres – à l'exception de Kris Park – étaient parties.

Mais ce n'était pas tout. J'avais découvert aussi que Kris Park – encore elle – n'était plus la déléguée de la classe. Difficile, en effet, de ne pas respecter le code de conduite du lycée (comme Kris en me traitant de nympho devant témoins) et de garder son statut de délégué de classe, ces derniers étant censés être des exemples pour les élèves.

Bref, Frau Rider, la prof d'allemand, avait dû demander à la sous-déléguée de remplacer Kris le temps que de nouvelles élections aient lieu.

Plusieurs personnes – enfin, essentiellement Catherine, Debra Mullins, Lucy et Harold – pensaient que j'allais me présenter. Aux élections, je veux dire.

Personnellement, je trouve que je suis assez occupée comme ça. En plus, quand on est délégué de classe, on est censé s'intéresser à son école. Et moi, ça ne m'intéresse pas. L'école, je veux dire. Mais je dois reconnaître que j'appréciais un peu plus le lycée depuis quelques jours.

— Hé, devine qui part en Californie le week-end prochain pour un gala de charité ? m'a demandé David.

— Laisse-moi deviner, ai-je répondu en tournant les pages de mon carnet de croquis jusqu'à ce que j'en trouve une blanche. Tes parents ?

— Gagné ! Ils ne rentreront pas avant dimanche soir. Du coup, j'aurai la Maison Blanche pour moi tout seul.

— Super. Tu pourras danser en caleçon et lunettes de soleil comme Bob Seger.

— Je pensais que ce serait plus drôle si tu venais. On a reçu le dernier film de Mel Gibson, tu sais, celui qui vient de sortir.

— Il faut que je demande à mes parents. Mais... j'imagine qu'ils diront oui.

— Excellent.

— Bonjour tout le monde !

Susan Boone est entrée précipitamment suivie d'un Terry particulièrement *léthargique* (définition donnée par les annales : atteint de léthargie, qui est dans un état pathologique caractérisé par un sommeil profond et prolongé dans lequel les fonctions de la vie semblent suspendues. On parle également de léthargie pour décrire un état d'abattement profond).

— Tout le monde est là ? Terry, si vous voulez bien...

Terry a retiré son peignoir et s'est allongé sur l'estrade. Quelques minutes plus tard, il dormait, son torse se soulevant et s'abaissant à chacun de ses ronflements.

Cette fois, lorsque je l'ai dessiné, j'ai essayé de me concentrer sur la totalité de son corps et non sur les différentes parties qui le composaient. J'ai ensuite esquissé à grands traits la pièce, autour, puis l'estrade en cherchant à construire mon dessin comme on construit une maison, c'est-à-dire en gardant à l'esprit qu'il devait y avoir un équilibre entre le sujet de mon dessin et l'arrière-plan.

Je crois que je ne me suis pas trop mal débrouillée parce que quand l'heure de la critique a sonné, Susan a paru contente de mon travail.

— Très bien, Sam, a-t-elle dit. Je vois que tu progresses et que tu es en train d'apprendre.

— Oui, ai-je répondu, légèrement surprise. Je crois que je suis en train d'apprendre.

FIN

« Pour l'éditeur, le principe est d'utiliser des papiers composés de fibres naturelles, renouvelables, recyclables et fabriquées à partir de bois issus de forêts qui adoptent un système d'aménagement durable. En outre, l'éditeur attend de ses fournisseurs de papier qu'ils s'inscrivent dans une démarche de certification environnementale reconnue. »

Composition Nord Compo

Achevé d'imprimer en Espagne par RODESA
Dépôt légal : 1re publication novembre 2012

20.3298.5 – ISBN : 978-2-01-203298-9
Édition 01 – novembre 2012

Loi n° 49-956 du 16 juillet 1949
sur les publications destinées à la jeunesse.